365
Jeux pour les filles

6 ans et +

2   3

Un jeu chaque jour !

Les Éditions Goélette

Conception graphique:
Geneviève Nadeau
Jessica Papineau-Lapierre
Joannie McConnell
Marjolaine Pageau

© Les Éditions Goélette inc.
1350 Marie-Victorin
St-Bruno-de-Montarville (Québec) CANADA, J3V 6B9
Téléphone: 450-653-1337
Télécopieur: 450-653-9924
www.editionsgoelette.com

Dépôts légaux:
Bibliothèque nationale et Archives du Québec
Bibliothèque nationale du Canada
Premier trimestre 2011

Les Éditions Goélette bénéficient du soutien financier de la SODEC
pour son programme d'aide à l'édition et à la promotion.
Nous remercions le gouvernement du Québec de l'aide financière
accordée par l'entremise du Programme de crédit d'impôt pour
l'édition de livres, administré par la SODEC.

Imprimé au Canada

ISBN: 978-2-89638-895-0

EXPLICATIONS DES JEUX

LABYRINTHE
Entre dans le labyrinthe et trouve le chemin de la sortie.

SUDOKU
Remplis la grille avec les chiffres de 1 à 9 en respectant
3 règles : chaque case doit contenir un chiffre, tous les
chiffres de 1 à 9 doivent se retrouver dans chaque colonne,
rangée et région, aucun chiffre ne doit se répéter
dans une même colonne, rangée ou région.

LES ENSEMBLES
Dessine dans chaque bulle grise les dessins manquants
pour arriver au nombre indiqué.

6 ERREURS
Trouve les 6 différences dans l'image de droite.

L'ARTISTE
Reproduis le dessin en haut à gauche sur la toile du peintre.

L'HEURE
Trace des lignes pour associer les heures ensemble.

SUDOKU DESSINS
On applique les mêmes principes que pour le sudoku
sauf que les chiffres sont remplacés par des dessins.

EXPLICATIONS DES JEUX

CARRÉ MAGIQUE

Place les nombres en-dessous dans le carré magique afin que la somme de chaque colonne, chaque rangée et chaque diagonale soit égale à celle donnée.

DESSIN À COLORIER

Amuse-toi et mets de la couleur.

BINGO

Trouve la ligne gagnante. Encercle dans la grille les cases qui correspondent aux jetons pigés (à gauche). Prends garde, car il y a plus de jetons que de cases dans ta grille. La case du centre de la grille est gratuite, tu peux l'encercler tout de suite. À la fin, lorsque tu auras découvert ta ligne gagnante tu pourras crier BINGO!

PARFAITE ORTHOGRAPHE

Un seul de ces mots est bien écrit, découvre lequel.

LE DOUBLE

À l'aide de la grille, reproduis le dessin.

MÉLI-MÉLO

Retrace et colorie dans le méli-mélo, toutes les lettres du mot écrit en haut.

EXPLICATIONS DES JEUX

SYMÉTRIE

Trace la symétrie à droite du dessin déjà en place comme s'il y avait un miroir au centre.

BOURRASQUES DE MOTS

À partir des mots donnés, forme de nouveaux mots en mélangeant l'ordre des lettres. Sers-toi des lettres qui sont écrites.

LE SERRURIER

Effectue les additions, soustractions, multiplications et divisions se trouvant en dessous des cadenas. Ensuite, relie chaque cadenas à la clé qui présente le même résultat.

LE TRADUCTEUR

À l'aide de la liste de mots, écris sous chaque image le mot anglais qui lui correspond.

LE JUMEAU

Chaque dessin est différent par rapport au premier sauf un qui est identique, trouve lequel.

TORNADES DE LETTRES

En replaçant les lettres au bon endroit, découvre le mot.

EXPLICATIONS DES JEUX

MOTS ENTRECROISÉS
Place tous les mots de la liste dans la grille.
Un truc: commence par placer le mot le plus long.

MOT DANS L'OMBRE
Inscris chaque mot correspondant à la définition,
le mot dans l'ombre correspond à la définition en haut.

MOTS CACHÉS
Trouve tous les mots de la liste
et encercle-les dans la grille.

DE POINT EN POINT
Relie tous les points numérotés, du plus petit au plus grand,
pour former un dessin.

MOTS À DÉCOUVRIR
Découvre le mot correspondant pour chacune des images
puis, à partir de la lettre fléchée de chacun des mots,
découvre le mot solution.

CODE SECRET
À partir du code secret, découvre la phrase cachée.

LABYRINTHE

Jour 1

SUDOKU

3	4	5	0	1	2
4	7	8	3	4	5
6		3			
				2	
2	5				
			6		

Jour 2

LES ENSEMBLES

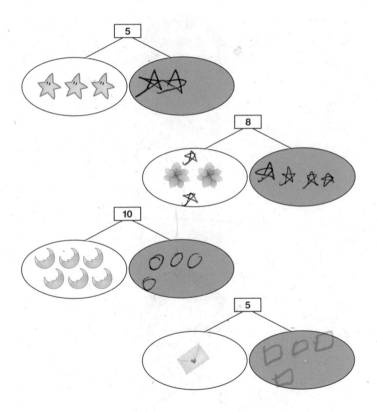

Jour 4

L'ARTISTE

Jour 5

L'HEURE

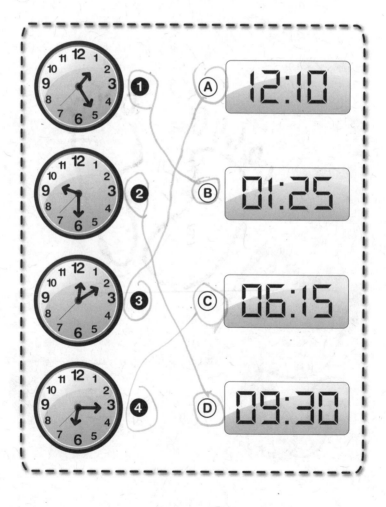

SUDOKU DESSINS

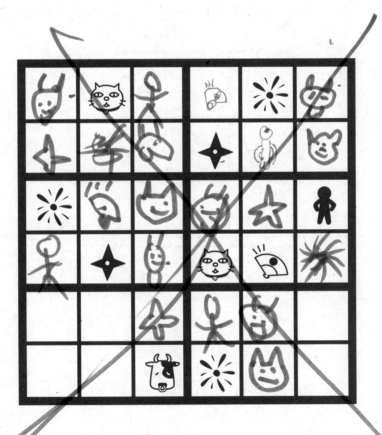

Jour 7

CARRÉS MAGIQUES

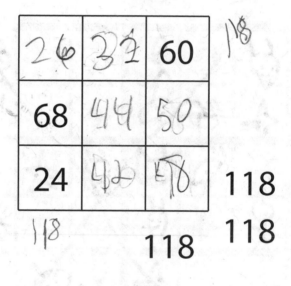

26	32	60
68	44	50
24	42	58

118

118

118

118

118

50 44 42 32
26 8

DESSIN À COLORIER

Jour 9

BINGO

O	N	B	O	O	I	N	I
68	43	9	72	65	20	31	17

B	G	N	I	G	N	B	G
5	56	39	18	55	44	2	59

N	I	G	O	O	I	B	B
36	30	52	64	75	21	11	6

O	B	O	B	B	I	N	B
61	12	71	14	3	28	37	7

B	N	G	G	I	G	B	I
1	34	54	53	25	49	10	27

B	I	N	G	O
5	29	44	52	64
12	22	40	48	75
1	24	Gratuit	47	66
14	26	42	49	65
11	30	33	60	73

Jour 10

PARFAITE ORTHOGRAPHE

 **COCCINELLE**

◯ **COQ-CINELLE**

◯ **COCCINAILE**

Jour 11

LE DOUBLE

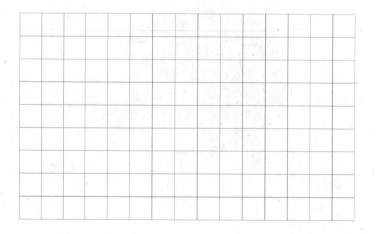

MÉLI-MÉLO

BANANE

SYMÉTRIE

Jour 14

BOURRASQUES DE MOTS

eurbua   b*reau

lloise   soleil

zaogn   gazon

ygoaev   voyage

oévl   vélo

LE SERRURIER

14 + 8 = ☐   4 x 5 = ☐   13 + 3 = ☐

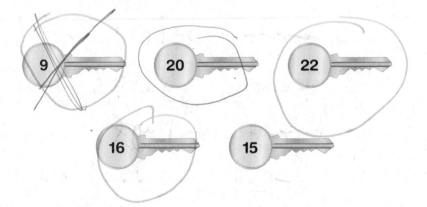

9   20   22

16   15

LE TRADUCTEUR

KINGDOM

Princess	Horse	Shoe
Castle	Prince	Throne

1. C a s t l e

2. P r i n c e s s

3. H o r s e

4. Sh o e

5. P r i n c e

6. T h r o n e

LE JUMEAU

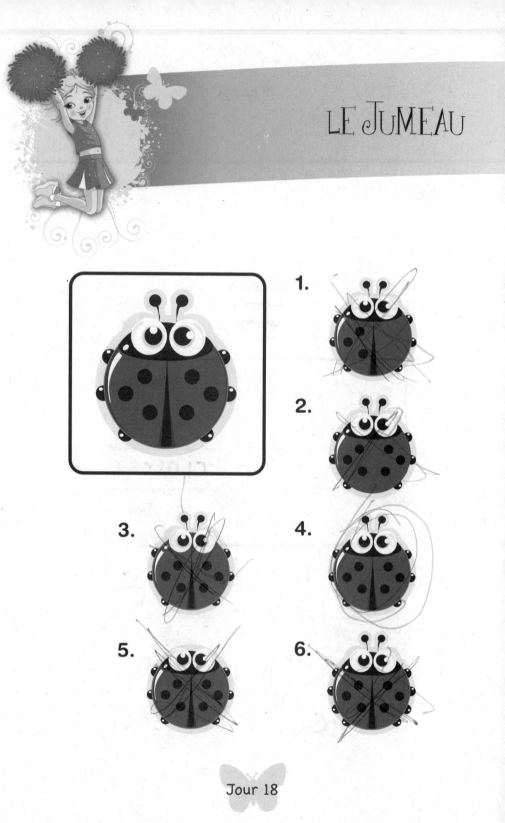

1.

2.

3.

4.

5.

6.

TORNADES DE LETTRES

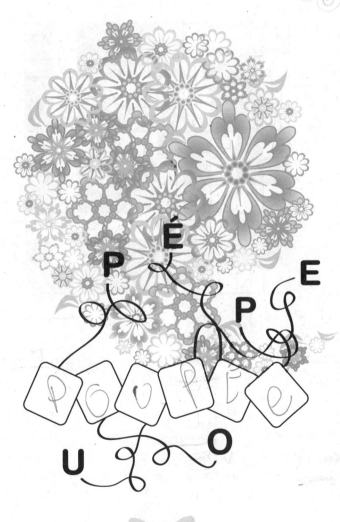

MOTS ENTRECROISÉS

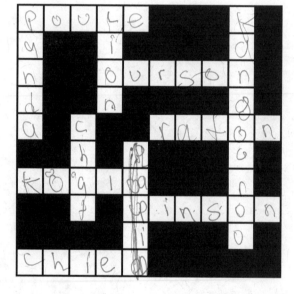

4
Chat
~~Lion~~

Panda
Poule
~~Raton~~

9
~~Kangourou~~

5
Chien
~~Koala~~
~~Lapin~~

6
~~Ourson~~
Pinson

MOT DANS L'OMBRE

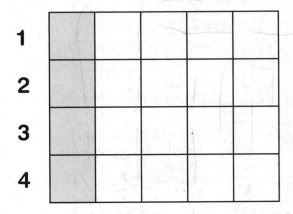

Petit fruit

1 Les papas en ont parfois.
2 Moyen de transport.
3 Personne que l'on admire.
4 Sentiment que l'on éprouve
   quand on ne sait pas quoi faire.

MOTS CACHÉS

C	A	D	E	A	U	M	B	S
S	E	C	R	E	T	A	I	O
A	R	S	C	M	C	R	S	U
M	O	O	O	B	A	I	O	R
I	U	R	E	O	L	A	U	I
G	G	T	U	N	I	G	O	R
N	I	I	R	B	N	E	A	E
O	R	E	J	O	I	E	M	U
N	F	I	A	N	C	E	I	R

Ami	Cœur	Rougir
Bisou	Fiancé	Secret
Bonbon	Joie	Sortie
Cadeau	Mariage	Sourire
Câlin	Mignon	

Mot de 5 lettres :

amour

Jour 22

DE POINT EN POINT

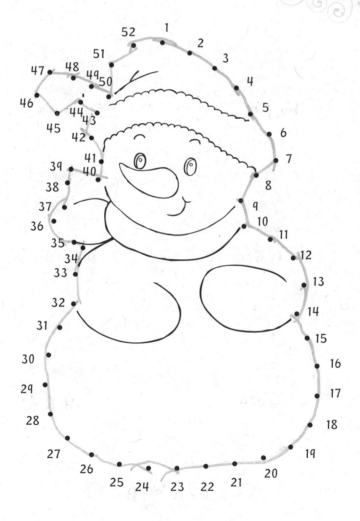

Jour 23

MOTS À DÉCOUVRIR

1

b a i n
↑

2

e s c a r g o t
↑

3

p a n d a
↑

4

b a g u e
↑

5

c l o w n
↑

6

t a p e
↑

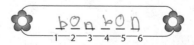

b o n b o n
1 2 3 4 5 6

Jour 24

CODE SECRET

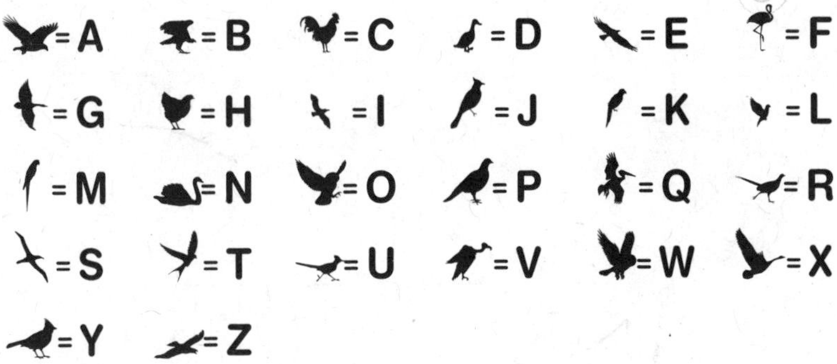

🦅 = A 🦅 = B 🐓 = C 🐧 = D 🦅 = E 🦩 = F

🐓 = G 🐔 = H 🦃 = I 🐦 = J 🕊 = K 🦤 = L

🕊 = M 🦢 = N 🕊 = O 🐦 = P 🦜 = Q 🦅 = R

🦃 = S 🦃 = T 🐦 = U 🐦 = V 🦢 = W 🕊 = X

🐦 = Y 🦅 = Z

LE MAGICIEN A SORTI
UN LAPIN BLANC
et UNE COLOMBE,
et SON CHAPEAU.

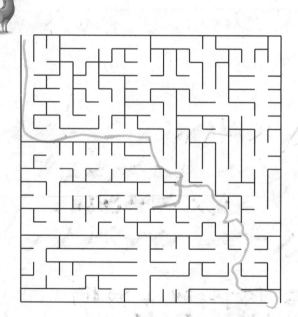

Jour 26

SUDOKU

4	2	6	1	3	5
5	3	1	2	6	4
3	1	4	5	2	6
5	6	2	3	4	1
2	5	1	4	1	3
6	4	3	6	5	2

LES ENSEMBLES

§ Salut

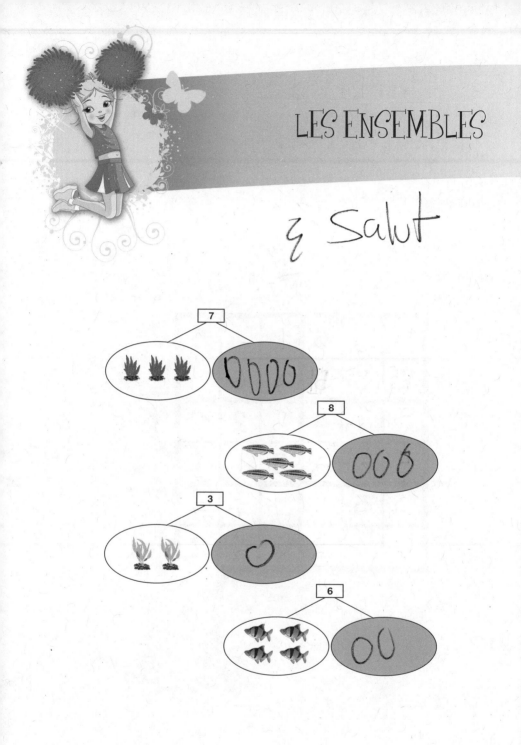

6 ERREURS

Jour 30

SUDOKU DESSINS

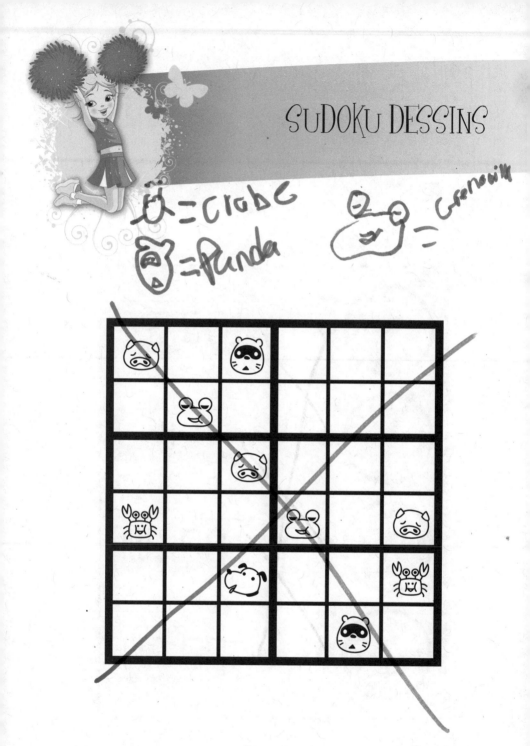

Jour 32

CARRÉS MAGIQUES

27	32	61
6	74	40
87	14	19

120

120   120

87 74 61 40
32 14

Jour 34

BINGO

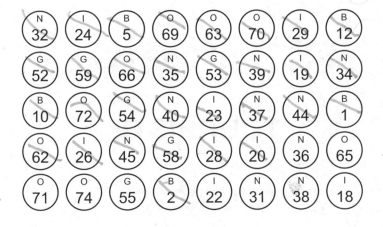

N 32	I 24	B 5	O 69	O 63	O 70	I 29	B 12
G 52	G 59	O 66	N 35	G 53	N 39	I 19	N 34
B 10	O 72	G 54	N 40	I 23	N 37	N 44	B 1
O 62	I 26	N 45	G 58	I 28	I 20	N 36	O 65
O 71	O 74	G 55	B 2	I 22	N 31	N 38	I 18

B	I	N	G	O
13	25	44	50	66
1	17	45	46	70
14	28	Gratuit	54	71
10	24	36	57	63
5	27	32	56	61

Jour 35

⊗ **TOUX-RISTE**

◯ **TOURRISTE**

✓ **TOURISTE**

Jour 36

LE DOUBLE

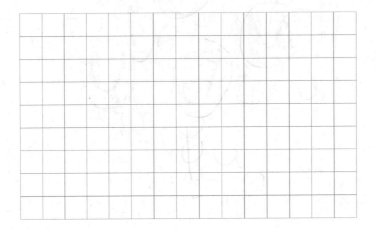

MUSIQUE

SYMÉTRIE

BOURRASQUES DE MOTS

athocn   _ _ _ **t** _ _

lusiroe   _ _ _ _ _ **e** _

nertom   _ _ **n** _ _ _

ceolé   _ _ _ **l** _

osre   _ **o** _ _

LE SERRURIER

$2 + 3 = \boxed{5}$ $13 - 2 = \boxed{11}$ $17 + 2 = \boxed{19}$

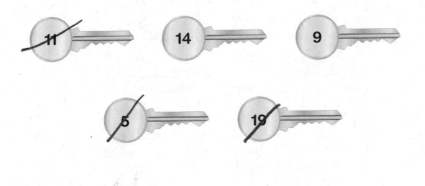

Jour 41

LE TRADUCTEUR

ANIMALS

Dog ~~Frog~~ ~~Kitten~~

Bird ~~Rabbit~~ ~~Chick~~

1. dog
2. kitten
3. rabbit
4. chick
5. Frog
6. Bird

Jour 43

TORNADES DE LETTRES

O I U
A E
OISEAUS

Jour 44

MOTS ENTRECROISÉS

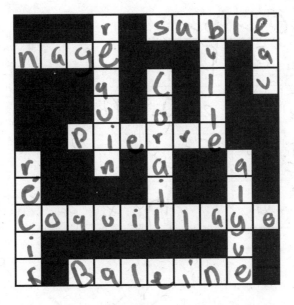

3
Eau

4
Nage

5
Algue

Bulle
Récif
Sable

6
Corail
Pierre
Requin

7
Baleine

10
Coquillage

Jour 45

MOT DANS L'OMBRE

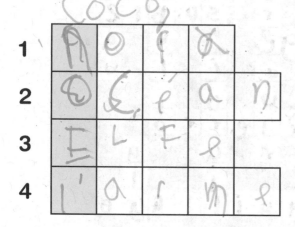

1 NOIX

2 OCÉAN

3 ELFE

4 LARME

Fête que l'on célèbre en décembre

noël

1 Fruit entouré d'une coquille.
2 Très grande étendue d'eau.
3 Personnage imaginaire.
4 Goutte d'eau produite par l'œil.

MOTS CACHÉS

L	B	U	T	I	N	E	R	T
I	C	F	L	I	A	I	L	E
B	M	O	U	C	H	E	N	R
E	V	U	C	N	P	N	S	M
L	P	R	E	O	E	U	C	I
L	A	M	T	T	N	E	C	T
U	T	I	N	R	U	C	H	E
L	T	A	B	E	I	L	L	E
E	E	B	O	U	R	D	O	N

Abeille	Cocon	Puce
Aile	Fourmi	Ruche
Antenne	Libellule	Termite
Bourdon	Mouche	Vol
Butiner	Patte	

Mot de 7 lettres :

insecte

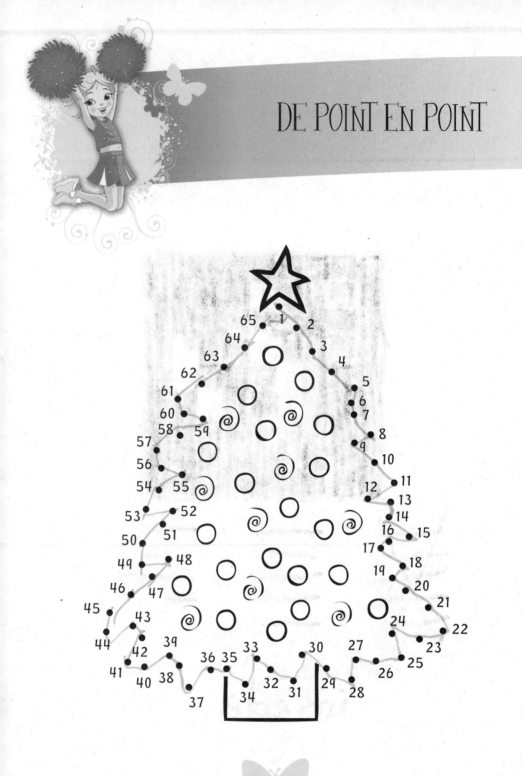

Jour 48

MOTS À DÉCOUVRIR

1. cadeau

2. soulier

3. dauphin

4. pyjama

5. radio

6. lunettes

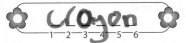

moyen

1 2 3 4 5 6

Jour 49

CODE SECRET

☆=A ⬟=B ☆=C □=D ☆=E ☒=F

✿=G ⬕=H ⊡=I ☆=J ☆=K ⬟=L

⬦=M ⬠=N ➤=O ◀=P ♡=Q ❤=R

♥=S ▶=T ◀=U ☒=V ♥=W ○=X

◉=Y ☆=Z

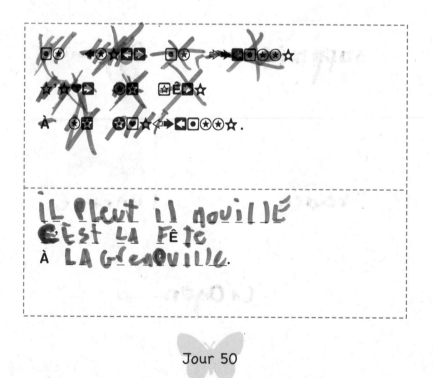

IL Pleut il mouille
C'est La Fête
À La Grenouille.

LABYRINTHE

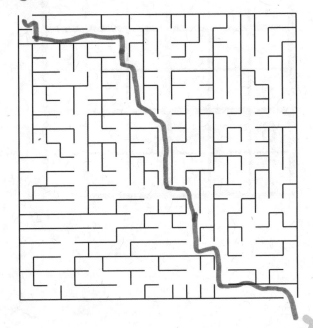

Jour 51

	5		6		
1			3		
					3
5					
6					
		4		2	

LES ENSEMBLES

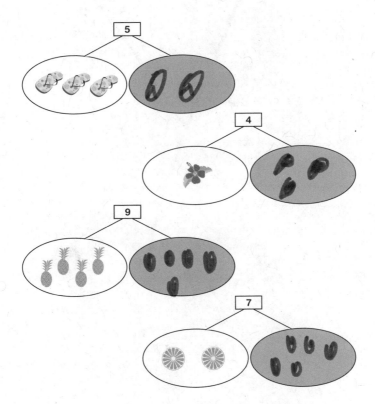

L'ARTISTE

L'HEURE

SUDOKU DESSINS

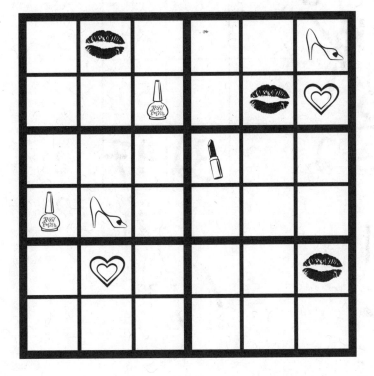

Jour 57

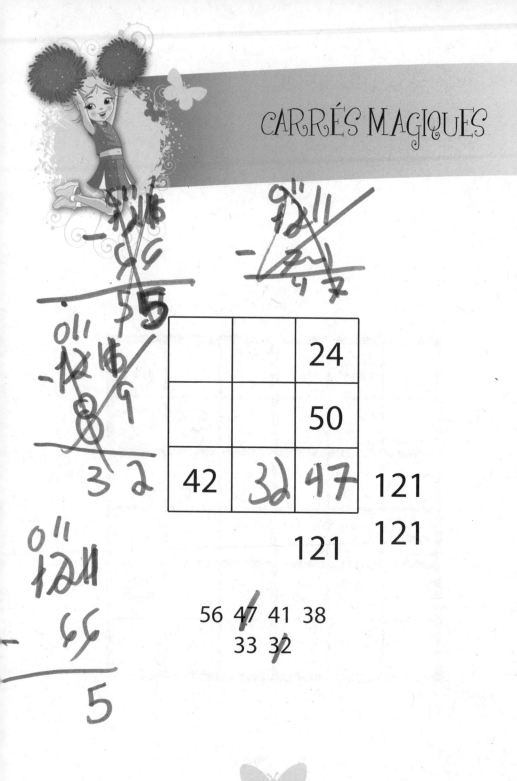

		24
		50
42	32	47

121
121
121

56 47 41 38
33 32

Jour 59

BINGO

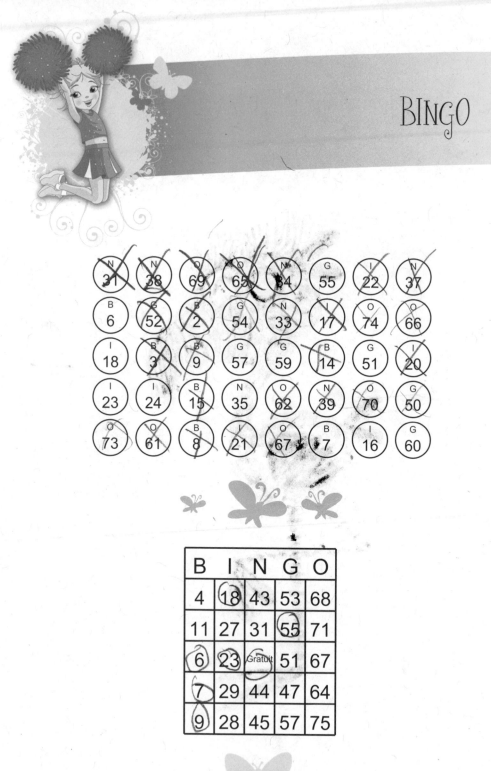

B	I	N	G	O
4	18	43	53	68
11	27	31	55	71
6	23	Gratuit	51	67
7	29	44	47	64
9	28	45	57	75

Jour 60

PARFAITE ORTHOGRAPHE

☑ **LICORNE**

◯ **LYCORNE**

◯ **LICORN**

Jour 61

LE DOUBLE

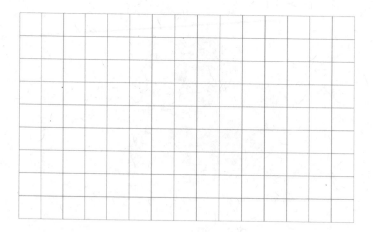

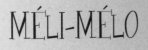

OURSON

BOURRASQUES DE MOTS

iôret   _ _ _ i _

ilpeu   _ _ u _ _

idaro   _ _ d _ _

virle   l _ _ _ _

enabna   _ _ _ _ n _

Jour 65

LE SERRURIER

4 + 2 = 6   17 + 1 = 18   6 + 2 = 8

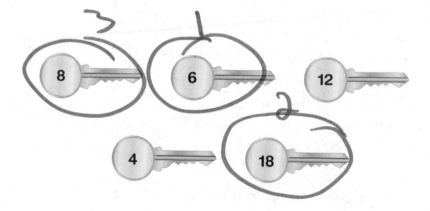

LE TRADUCTEUR

CLOTHES

Dress   Skirt   Camisole
Jacket   Swimsuit   Sweater

1. S_weater_
2. Sk_irt_
3. Dr_ess_
4. J_acke_t
5. _swimsuit_
6. C_ami sole_

LE JUMEAU

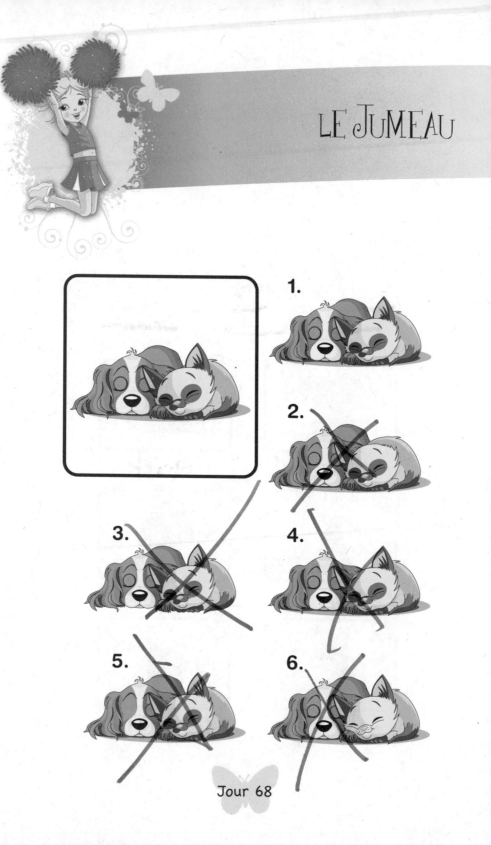

1.

2.

3.

4.

5.

6.

Jour 68

TORNADES DE LETTRES

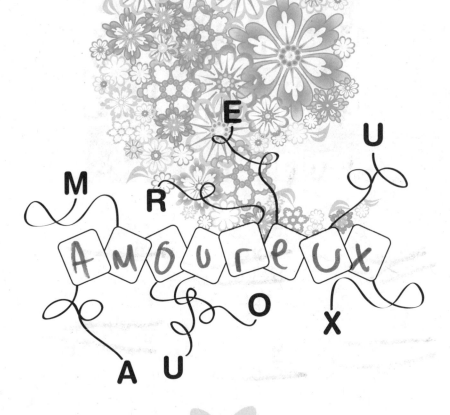

Amoureux

Jour 69

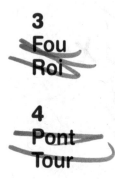

3
Fou
Roi

4
Pont
Tour

5
Douve
Reine
Tapis

6
Prince

7
Château

8
Draperie
Flambeau

Jour 70

MOT DANS L'OMBRE

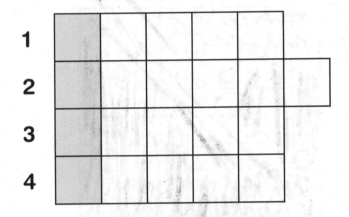

Partie du corps

1 Petit fruit vert à noyau.
2 Le cheval y vit.
3 Manteau de pluie.
4 Personnage fantastique.

MOTS CACHÉS

SE, i, u, A

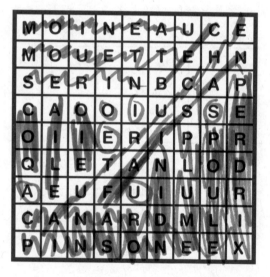

M	O	I	N	E	A	U	C	E
M	O	U	E	T	T	E	H	N
S	E	R	I	N	B	C	A	P
C	A	O	O	I	U	S	S	E
O	I	I	E	R	I	P	P	R
Q	L	E	T	A	N	L	O	D
A	E	U	F	U	I	U	U	R
C	A	N	A	R	D	M	L	I
P	I	N	S	O	N	E	E	X

Aile   Faisan   Perdrix
Autruche   Moineau   Pinson
Bec   Mouette   Plume
Canard   Nid   Poule
Coq   Oie   Serin

Mot de 6 lettres :

_____

DE POINT EN POINT

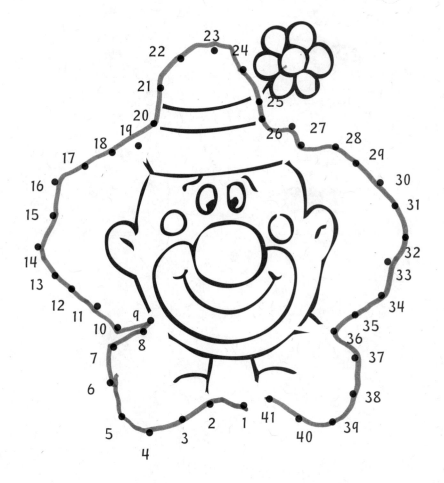

Jour 73

MOTS À DÉCOUVRIR

① _ _ _ _ _ ↑

② _ _ _ _ _ ↑

③ _ _ _ _ ↑

④ _ _ _ _ _ ↑

⑤ _ _ _ ↑

⑥ _ _ _ _ _ ↑

_ _ _ _ _ _
1 2 3 4 5 6

Jour 74

CODE SECRET

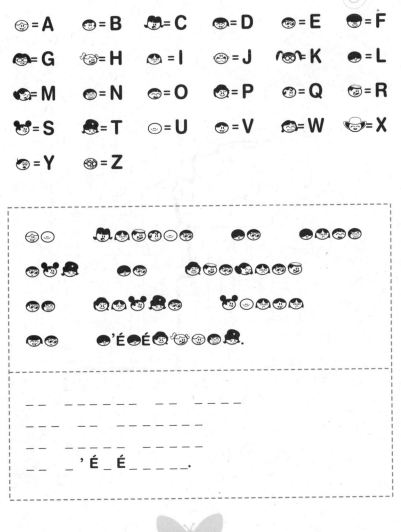

= A   = B   = C   = D   = E   = F

= G   = H   = I   = J   = K   = L

= M   = N   = O   = P   = Q   = R

= S   = T   = U   = V   = W   = X

= Y   = Z

__ _____ __ ____

__ __ _____

__ __ ____

__ _'É_É____.

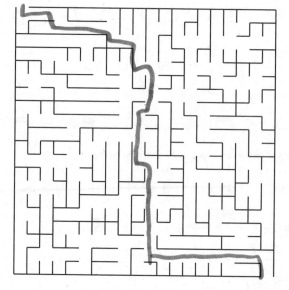

SUDOKU

3	6	1	4	5	2
2	4	5	3	1	6
1	2	4			3
5	3	6	1	2	4
6	1	3	4	5	2
4	5	2	6	3	1

LES ENSEMBLES

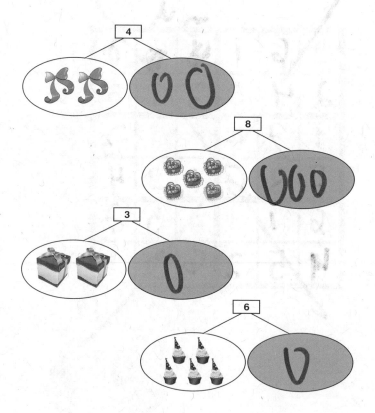

Jour 80

L'HEURE

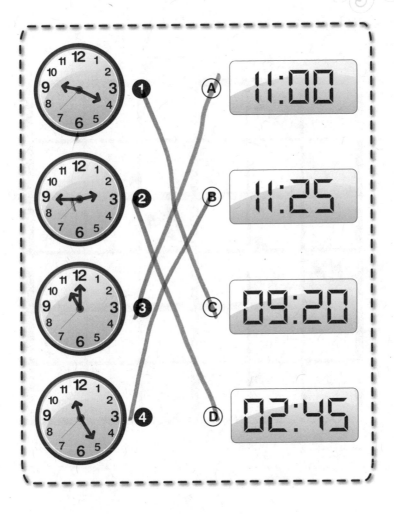

SUDOKU DESSINS

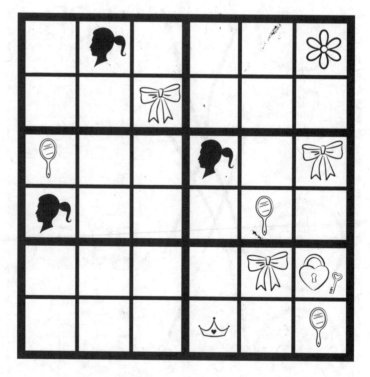

Jour 82

CARRÉS MAGIQUES

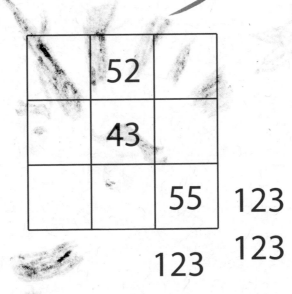

	52	
	43	
		55

123   123

123   123

58 46 40 28
25 22

Jour 84

BINGO

O	B	I	G	N	N	G	I
75	3	28	60	42	34	48	24

N	O	G	N	I	N	N	I
41	72	52	32	26	40	39	30

O	I	B	G	B	I	B	B
71	17	15	56	13	23	6	2

G	G	N	O	I	I	B	B
54	47	45	67	20	27	4	7

B	N	B	O	G	O	I	I
10	43	1	70	50	62	22	16

B	I	N	G	O
2	24	37	53	70
7	20	33	49	66
12	16	Gratuit	47	73
9	26	36	48	67
14	17	35	46	74

Jour 85

PARFAITE ORTHOGRAPHE

○ **POUASSON**

✓ **POISSON**

○ **POISON**

Jour 86

LE DOUBLE

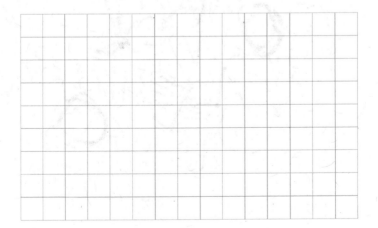

COLLIER

SYMÉTRIE

BOURRASQUES DE MOTS

ecihn   _ _ _ **e** _

eoléti   _ _ _ **i** _ _

esvet   _ _ **s** _ _

lsesac   _ _ **a** _ _ _

ycnaro   _ _ _ _ _ **n**

LE SERRURIER

14 + 11 = 25   20 - 13 = 7   3 + 8 = 11

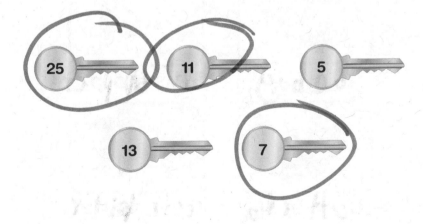

25   11   5

13   7

Jour 91

LE TRADUCTEUR

INSECTS

| Ladybug | Caterpillar | Butterfly |
| Dragonfly | Grasshopper | Bee |

1. B e e

2. ~~r~~ r ~~y~~ o n f ~~l~~ y

3. L ~~a~~ d y ~~b~~ ~~u~~ g

4. G r ~~a~~ s ~~s~~ ~~h~~ o ~~p~~ ~~e~~ r

5. B u ~~t~~ t e r ~~f~~ l ~~y~~

6. C ~~a~~ t ~~e~~ r ~~p~~ i ~~l~~ l a ~~r~~

Jour 92

LE JUMEAU

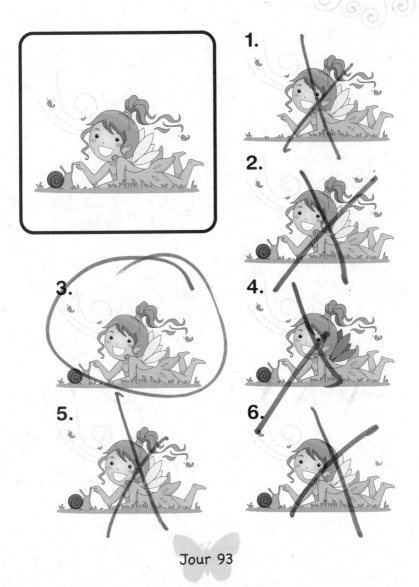

Jour 93

Jour 94

MOTS ENTRECROISÉS

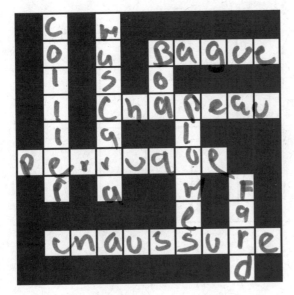

3
Boa

4
Fard

5
Bague

6
Plumes

7
Chapeau
Collier
Mascara

8
Perruque

9
Chaussure

Peut vivre sur un chien

1 Jouet.
2 Septième planète du système solaire.
3 Caresse.
4 La grenouille y vit.

MOTS CACHÉS

M	B	R	A	C	E	L	E	T
A	C	O	I	F	F	U	R	E
S	C	F	D	B	Q	I	P	E
C	H	G	A	U	O	B	L	U
A	A	I	R	R	S	A	U	R
R	P	R	I	E	D	G	M	O
A	E	M	M	E	N	U	E	B
P	A	R	A	D	E	E	S	E
L	U	N	E	T	T	E	S	T

Bague   Fard   Perruque
Boa   Lunettes   Plumes
Bracelet   Mascara   Robe
Chapeau   Miroir
Coiffure   Parade

Mot de 11 lettres :

_____

DE POINT EN POINT

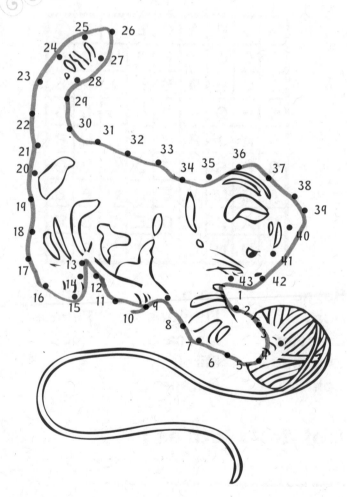

MOTS À DÉCOUVRIR

1

_ _ _ _ _
↑

2

_ _ _ _ _ _
↑

3

_ _ _ _ _
↑

4

_ _ _ _ _ _
↑

5

_ _ _ _ _
↑

6

_ _ _ _ _ _
↑

_ _ _ _ _ _
1 2 3 4 5 6

Jour 99

CODE SECRET

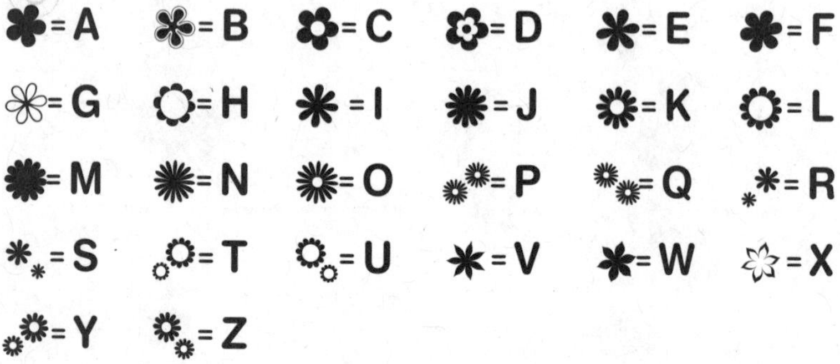

✿=A ✾=B ❁=C ❀=D ✻=E ✸=F
❀=G ○=H ✳=I ✹=J ✺=K ◯=L
✽=M ✺=N ✺=O ✾=P ✿=Q ✱=R
✱=S ✿=T ✿=U ✶=V ✷=W ✿=X
✿=Y ✿=Z

LABYRINTHE

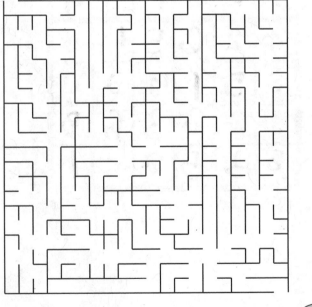

Jour 101

SUDOKU

5	1	4	6	3	2
2	6	3	1	5	4
4	2	6	5	1	3
3	5	1	4	2	6
1	4	2	3	6	5
6	3	5	2	4	1

LES ENSEMBLES

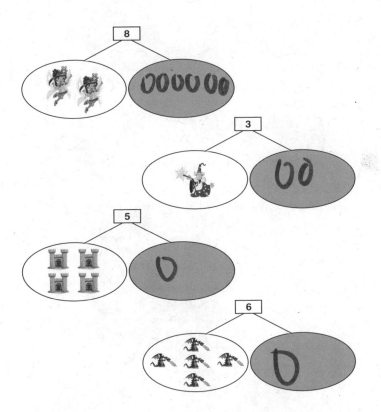

L'ARTISTE

Jour 105

L'HEURE

SUDOKU DESSINS

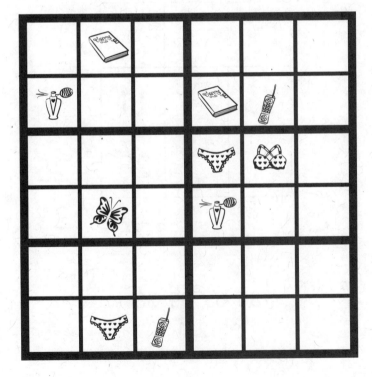

Jour 107

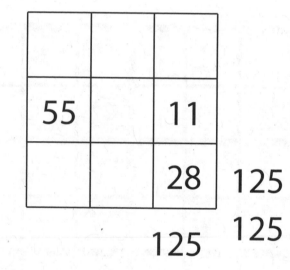

55		11
		28

125

125

125

86 65 59 38
32 1

DESSIN À COLORIER

Jour 109

BINGO

G 59	I 29	G 57	N 45	G 52	I 17	B 8	I 28
G 60	B 1	N 42	O 67	N 37	B 13	G 55	O 69
N 38	O 68	I 19	B 10	I 27	N 33	O 70	B 11
B 6	B 14	I 23	B 4	N 35	O 63	G 53	N 44
I 21	B 5	O 72	G 49	I 26	I 24	B 2	O 62

B	I	N	G	O
10	29	34	46	64
14	30	33	51	63
1	28	Gratuit	58	61
2	27	40	50	65
4	19	39	60	70

Jour 110

○ **POUSEPT**

○ **POUCETTE**

✓ **POUSSETTE**

LE DOUBLE

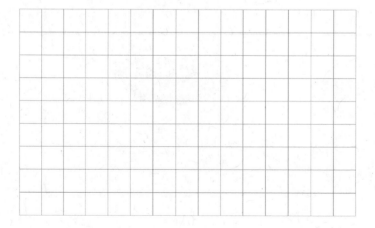

PATIN

Jour 114

BOURRASQUES DE MOTS

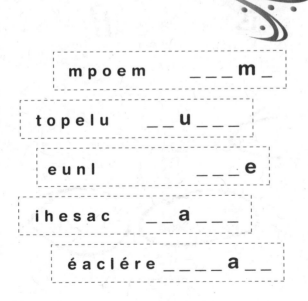

mpoem   _ _ _ **m** _

topelu   _ _ **u** _ _ _

eunl   _ _ _ **e**

ihesac   _ _ **a** _ _ _

éaclére _ _ _ _ **a** _ _

LE SERRURIER

8 + 5 = 13   18 - 4 = 14   2 + 6 = 8

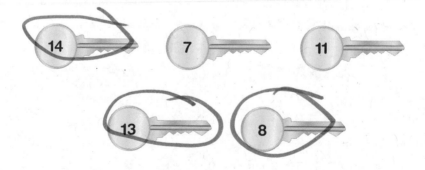

Jour 116

LE TRADUCTEUR

ACCESSORIES

Hat   Umbrella   Ring
Rain boot   Belt   Watch

1. ring
2. Hat
3. Belt
4. Rain boot
5. Umbrella
6. watch

LE JUMEAU

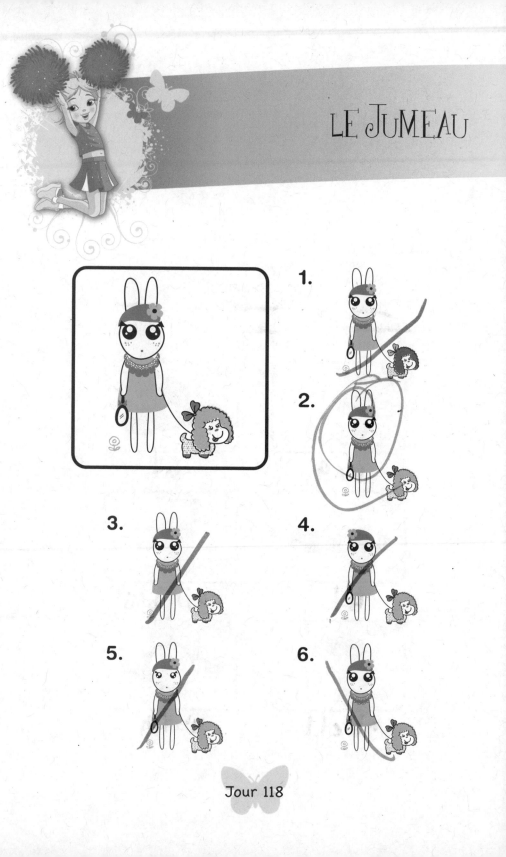

1.

2.

3.

4.

5.

6.

Jour 118

TORNADES DE LETTRES

M A I E L

FAMILLE

F

L

Jour 119

MOTS ENTRECROISÉS

3
Bas

4
Gant
Jupe

5
Botte
Gilet
Veste

7
Chapeau
Manteau

Sandale

8
Chandail

MOT DANS L'OMBRE

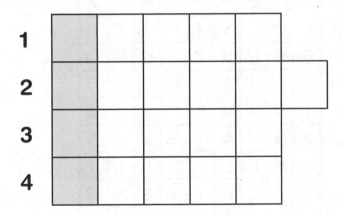

Nombre

1 Ce que l'on utilise pour réparer
   quelque chose.
2 Sportif.
3 Animal africain.
4 Faire de l'...

D	P	B	P	P	P	R	J	A
E	O	O	Y	I	S	I	E	C
G	P	N	J	Z	E	G	U	O
U	C	B	A	Z	C	O	R	U
I	O	O	M	A	R	L	F	S
S	R	N	A	T	E	E	I	S
E	N	S	L	I	T	R	L	I
E	V	E	R	I	T	E	M	N
O	R	E	I	L	L	E	R	Y

Bonbons   **Lit**   **Rigoler**
Coussin   **Oreiller** **Secret**
Déguisée   **Pizza**   **Vérité**
Film   **Popcorn**
Jeu   **Pyjama**

Mot de 5 lettres :

_____

DE POINT EN POINT

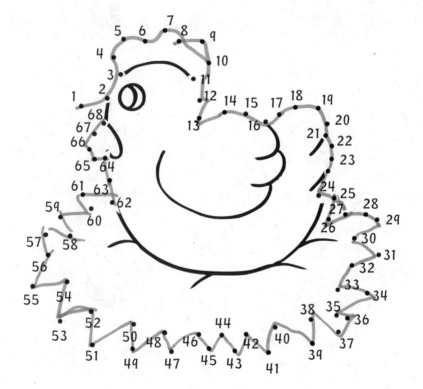

MOTS À DÉCOUVRIR

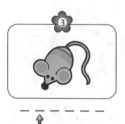

↑ _ _ _ _ _ _ _

↑ _ _ _ _ _ _ _

↑ _ _ _ _ _

_ _ _ _ _ ↑

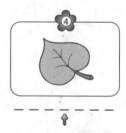

_ _ _ _ ↑ _

_ _ _ _ _ ↑ _

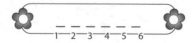

_ _ _ _ _ _
1 2 3 4 5 6

Jour 124

CODE SECRET

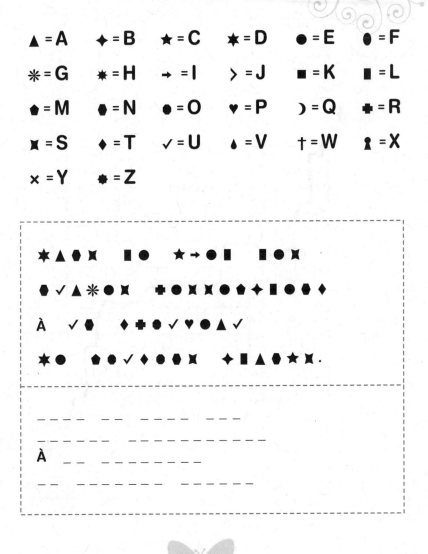

LABYRINTHE

Jour 126

SUDOKU

1	2			4	
5		3	1		
2	3				
	4				5

Jour 127

LES ENSEMBLES

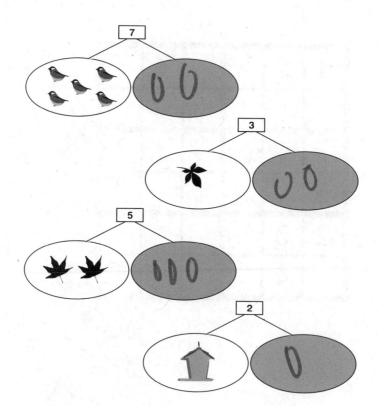

Jour 130

L'HEURE

SUDOKU DESSINS

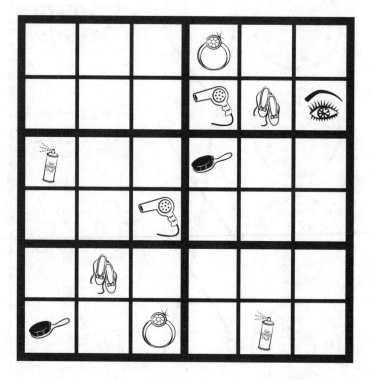

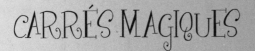

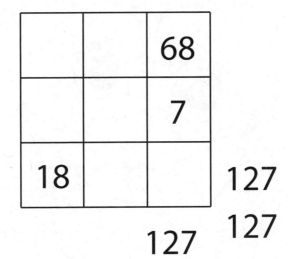

		68
		7
18		

127   127

127   127

77 57 52 43
32 27

Jour 134

BINGO

B				
B	G	B	G	O	N	G	B
14	54	10	52	72	36	59	15
O	I	N	B	N	G	B	B
75	27	39	4	44	56	1	13
I	B	O	I	N	B	N	I
17	12	62	18	42	7	45	30
N	O	G	O	B	N	G	B
38	74	46	66	6	35	53	11
B	I	I	I	O	G	N	I
8	24	26	20	63	51	40	19

B	I	N	G	O
12	19	41	53	64
15	30	37	57	65
11	18	Gratuit	49	72
1	28	38	47	61
14	26	43	59	70

Jour 135

○ **HIBOUT**

◉ **HIBOU**

○ **HIBEAU**

LE DOUBLE

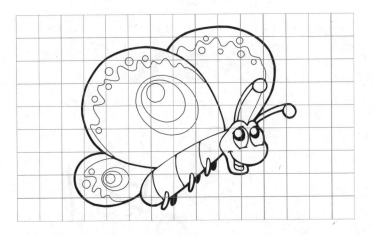

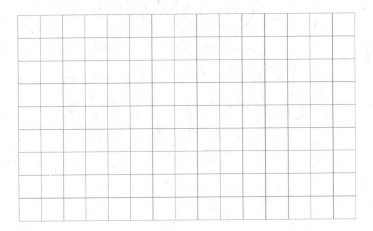

BISOU

SYMÉTRIE

BOURRASQUES DE MOTS

èlretf	_ _ _ _ **l** _
vcelha	_ **h** _ _ _ _
uesa	_ _ **a** _
lesba	_ _ **b** _ _
jmyapa	_ _ _ **a** _ _

LE SERRURIER

7 + 9 = 16   18 + 3 = 21   27 - 9 = 18

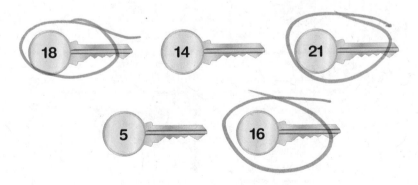

LE TRADUCTEUR

BABY ACCESSORIES

Bibber	Stroller	Plush
Rattle	Pin	Dummy

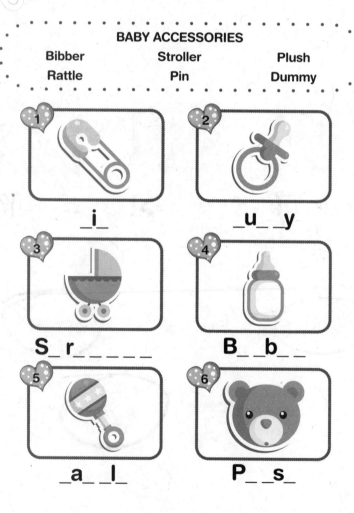

1. _ i _

2. _ u _ _ y

3. S _ r _ _ _ _ _

4. B _ _ b _ _

5. _ a _ _ l _

6. P _ _ s _

LE JUMEAU

1.

2.

3.

4.

5.

6.

Jour 143

Jour 144

MOTS ENTRECROISÉS

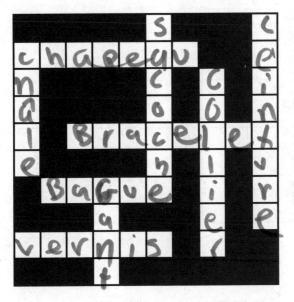

4
Gant

5
Bague
Châle

6
Vernis

7
Chapeau
Collier
Sacoche

8
Bracelet
Ceinture

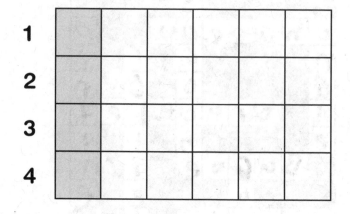

Personne avec qui l'on joue

1 Le chien le fait pour parler.
2 Partie d'un vêtement qui recouvre le bras.
3 Ce qui n'est pas pair.
4 On en fait à l'école.

MOTS CACHÉS

B	O	N	P	L	A	G	E	A
U	B	A	L	E	I	N	E	L
L	C	G	F	O	N	D	P	G
L	P	E	C	H	E	S	O	U
E	R	E	C	I	F	A	I	E
P	I	E	R	R	E	L	S	E
R	E	Q	U	I	N	E	S	E
E	T	O	I	L	E	A	O	A
C	O	R	A	I	L	N	N	U

Algue   Étoile   Plage
Baleine   Fond   Poisson
Bulle   Nage   Récif
Corail   Pêche   Requin
Eau   Pierre   Salé

Mot de 5 lettres :

_____

Jour 147

MOTS À DÉCOUVRIR

_ _ _ _ _ _
↑

_ _ _ _ _
↑

_ _ _ _ _
↑

_ _ _ _
↑

_ _ _ _ _ _ _
↑

_ _ _ _ _ _
↑

_ _ _ _ _ _
1 2 3 4 5 6

Jour 149

CODE SECRET

= A   = B   = C   = D   = E   = F

= G   = H   = I   = J   = K   = L

= M   = N   = O   = P   = Q   = R

= S   = T   = U   = V   = W   = X

= Y   = Z

_ _ _ _ _ _ _ _ _ _ _

_ _ _ _ _ _ _ _ _ _ _ _ _

_ _ _ _ _ _ _ _ _ _ _ _ .

Jour 151

LES ENSEMBLES

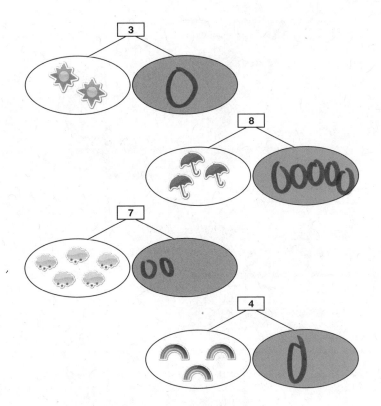

6 ERREURS

Jour 154

Jour 155

L'HEURE

1   Ⓐ 12:30

2   Ⓑ 01:00

3   Ⓒ 03:10

4   Ⓓ 06:25

SUDOKU DESSINS

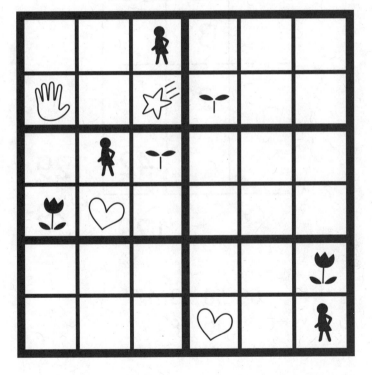

Jour 157

	31	
	29	
		42

129

129

129

129

69 58 53 47
40 18

Jour 159

BINGO

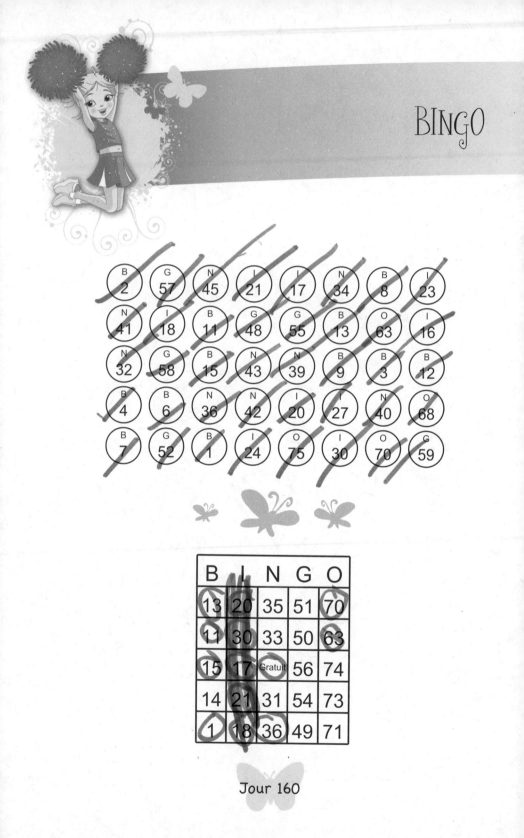

B		N		
2	57	45	21	17	34	8	23

Jour 160

○ **COURAUNE**

○ **COURONE**

○ **COURONNE**

Jour 161

LE DOUBLE

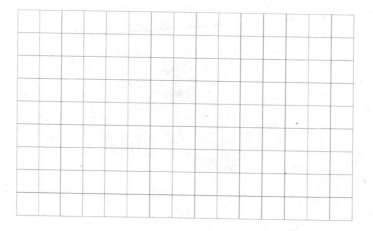

Jour 162

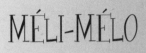

TOUPIE

SYMÉTRIE

BOURRASQUES DE MOTS

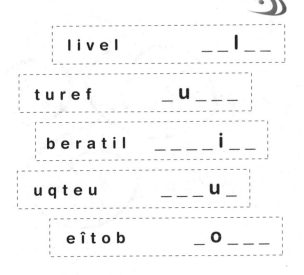

livel	_ _ **l** _ _
turef	_ **u** _ _ _
beratil	_ _ _ _ **i** _ _
uqteu	_ _ _ **u** _
eîtob	_ **o** _ _ _

LE SERRURIER

8 + 9 = ☐ 17

11 + 13 = ☐ 24

14 + 6 = ☐ 20

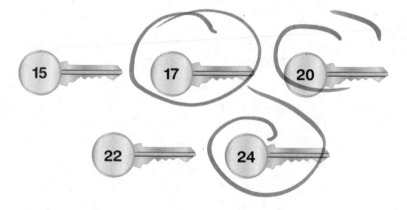

LE TRADUCTEUR

VEGETABLES

Broccoli   Tomato   Onion
Potato   Mushroom   Carrot

1. Car__te
2. On__i_n
3. T_ma_o
4. P_ota_o
5. Mush_r_om
6. Br_cc_lli

LE JUMEAU

1.

2.

3.

4.

5.

6.

Jour 169

MOTS ENTRECROISÉS

4
Long
Noir
Roux

5
Blond

Court
Mèche

6
Bouclé
Frange
Tressé

7
Châtain

Jour 170

MOT DANS L'OMBRE

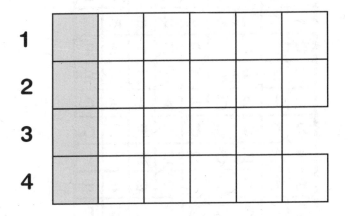

Forme géométrique

1 Petit du chat.
2 Ce qui doit être fait rapidement.
3 Ornement porté par les femmes.
4 On l'est avant d'être adulte.

MOTS CACHÉS

D	E	V	I	N	E	T	T	E
E	C	H	A	I	S	E	M	R
Q	B	L	A	G	U	E	A	E
U	C	P	U	P	I	T	R	E
I	L	C	C	R	A	I	E	C
P	O	J	O	U	E	R	L	O
E	C	C	O	R	D	E	L	L
R	H	E	R	A	N	G	E	E
L	E	C	O	N	C	O	U	R

Blague   Craie   Leçon
Chaise   Devinette   Marelle
Cloche   École   Pupitre
Corde   Équipe   Rang
Cour   Jouer

Mot de 5 lettres :

_____

DE POINT EN POINT

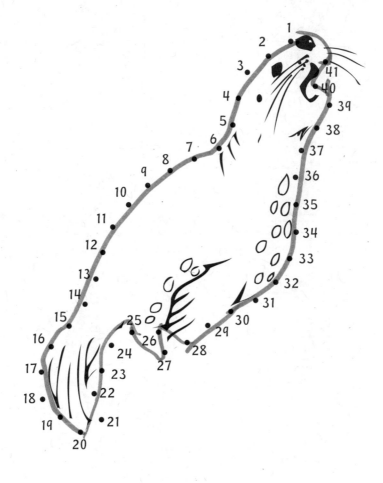

MOTS À DÉCOUVRIR

‾ ‾ ‾ ‾
↑

‾ ‾ ‾ ‾
↑

‾ ‾ ‾ ‾
↑

‾ ‾ ‾ ‾
↑

‾ ‾ ‾ ‾
↑

‾ ‾ ‾ ‾
↑

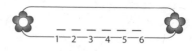

‾ ‾ ‾ ‾ ‾ ‾
1 2 3 4 5 6

Jour 174

CODE SECRET

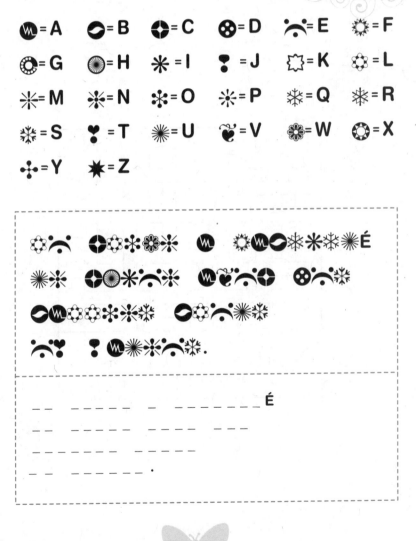

= A   = B   = C   = D   = E   = F

= G   = H   = I   = J   = K   = L

= M   = N   = O   = P   = Q   = R

= S   = T   = U   = V   = W   = X

= Y   = Z

__ __   ____   _   _____É

__   ____   ____   ___

_____   ____   _

__   _____ .

SUDOKU

1	5				
					4
		3		4	
2				6	
	6			5	3

Jour 177

LES ENSEMBLES

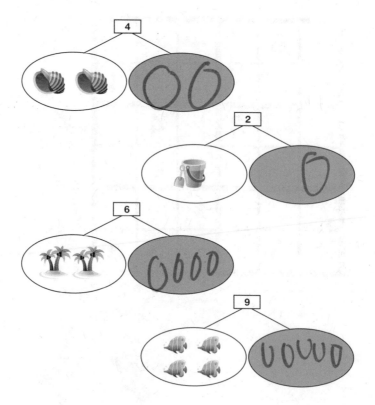

6 ERREURS

Jour 179

Jour 180

L'HEURE

SUDOKU DESSINS

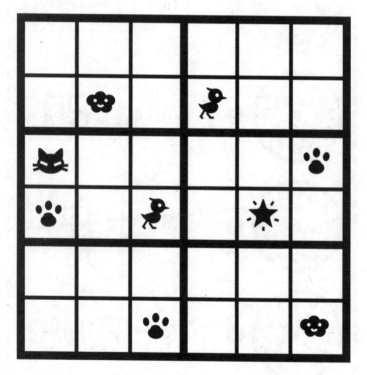

Jour 182

CARRÉS MAGIQUES

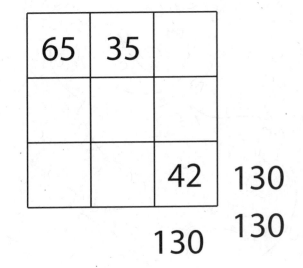

65	35	
		42

130

130

130

130

72 58 49 30
23 16

Jour 184

BINGO

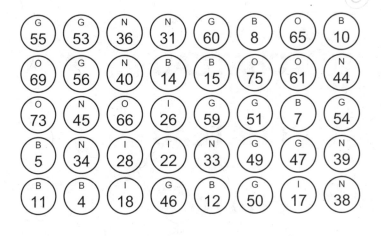

G 55	G 53	N 36	N 31	G 60	B 8	O 65	B 10
O 69	G 56	N 40	B 14	B 15	O 75	O 61	N 44
O 73	N 45	O 66	I 26	G 59	G 51	B 7	G 54
B 5	N 34	I 28	I 22	N 33	G 49	G 47	N 39
B 11	B 4	I 18	G 46	B 12	G 50	I 17	N 38

B	I	N	G	O
4	29	44	59	64
2	21	40	54	74
3	22	Gratuit	55	70
8	30	37	51	66
6	27	41	56	72

Jour 185

○ **CHATEAU**

○ **CHÂTEAU**

○ **CHÂTO**

LE DOUBLE

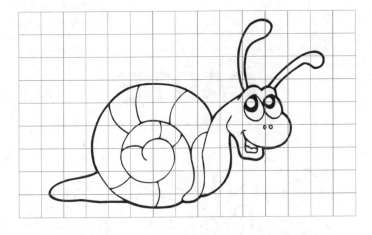

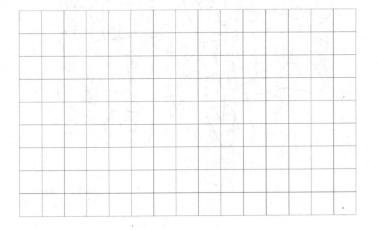

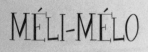

CARTE

SYMÉTRIE

BOURRASQUES DE MOTS

t g n a   _ _ **n** _

c e h a v   _ **a** _ _ _

d u i a r e   _ _ _ **e** _ _

l è r e g   _ _ _ **l** _

n a i c m o   _ _ **m** _ _ _

Jour 190

LE SERRURIER

9 + 2 = ☐   5 + 17 = ☐   18 - 2 = ☐

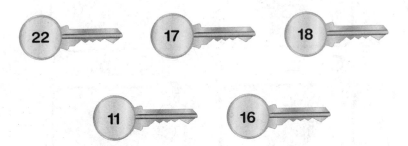

22   17   18

11   16

Jour 191

LE TRADUCTEUR

UNDER THE SEA

Oyster	Turtle	Starfish
Octopus	Dolphin	Sea horse

1. O_ _t_ _
2. S_ _ _o s_
3. S_ _r_ _ _ _
4. _c_ _pu_
5. T_ _t_ _
6. _o_ _h_ _

LE JUMEAU

1.

2.

3.

4.

5.

6.

Jour 193

TORNADES DE LETTRES

É O T I E

L E

É T O I L E

Jour 194

MOTS ENTRECROISÉS

3
Sûr

5
Gomme
Melon
Suçon
Sucré

6
Cerise
Menthe
Orange
Saveur

7
Couleur

8
Chocolat

MOT DANS L'OMBRE

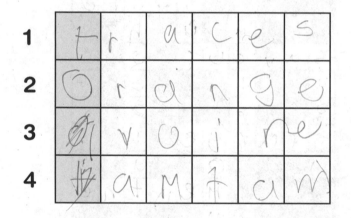

1	t	r	a	c	e	s
2	o	r	a	n	g	e
3	i	v	o	i	r	e
4	t	a	m	t	a	m

Recouvre la maison

1 On en laisse sur la neige.
2 Couleur ou fruit.
3 Sorte de blanc.
4 Instrument de musique.

MOTS CACHÉS

C	H	A	P	E	A	U	M	S
M	C	G	I	L	E	T	A	C
E	A	R	O	B	E	B	N	E
C	R	B	O	T	T	E	T	I
H	D	V	E	S	T	E	E	N
A	I	C	H	A	L	E	A	T
R	G	O	J	U	P	E	U	U
P	A	D	E	G	A	N	T	R
E	N	S	A	N	D	A	L	E

Bas   Chapeau   Manteau
Botte   Écharpe   Robe
Cardigan   Gant   Sandale
Ceinture   Gilet   Veste
Châle   Jupe

Mot de 4 lettres :

Mode

DE POINT EN POINT

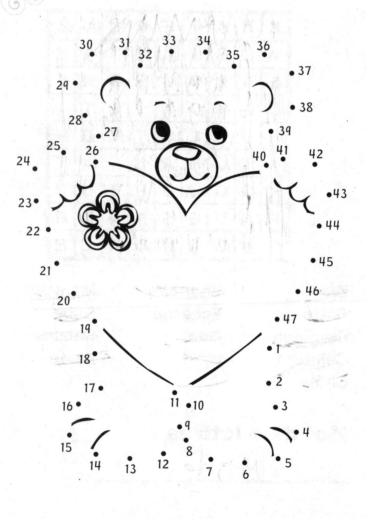

MOTS À DÉCOUVRIR

① _ _ _ _ _ ⬆

② _ _ _ _ _ ⬆

③ _ _ _ _ _ ⬆

④ _ _ _ _ _ ⬆

⑤ _ _ _ _ _ ⬆

⑥ _ _ _ _ _ ⬆

_ _ _ _ _ _
1 2 3 4 5 6

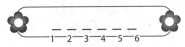

Jour 199

CODE SECRET

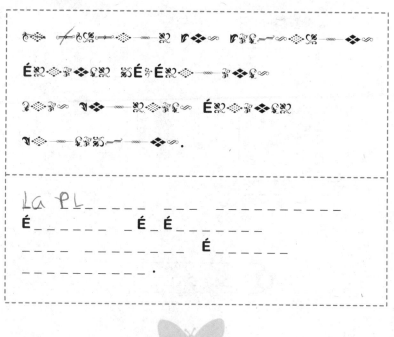

= A	= B	= C	= D	= E
= F	= G	= H	= I	= J
= K	= L	= M	= N	= O
= P	= Q	= R	= S	= T
= U	= V	= W	= X	= Y
= Z				

La PL_ _ _ _ _   _ _ _   _ _ _ _ _ _ _ _ _ _
É_ _ _ _ _ _   _É_É_ _ _ _ _ _
_ _ _   _ _ _ _ _ _ _   É_ _ _ _ _
_ _ _ _ _ _ _ _ _ _ .

LABYRINTHE

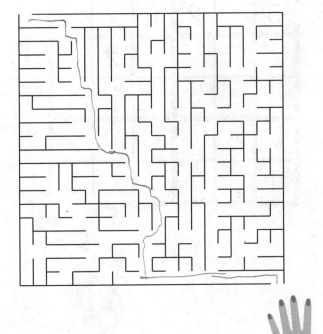

SUDOKU

LES ENSEMBLES

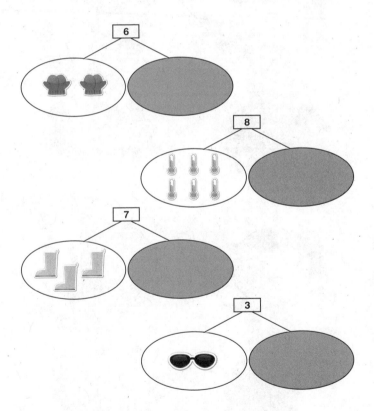

6 ERREURS

L'ARTISTE

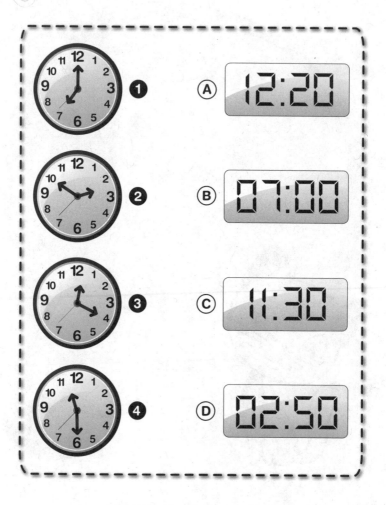

SUDOKU DESSINS

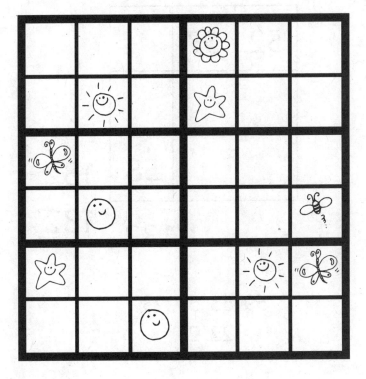

Jour 207

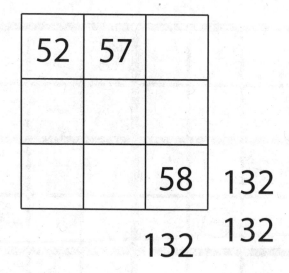

52	57	
		58

132   132

132   132

59 53 51 23
22 21

Jour 209

BINGO

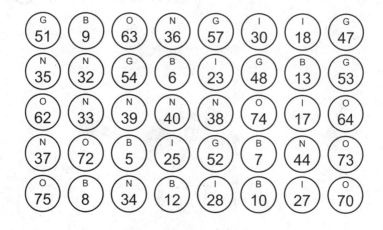

G 51	B 9	O 63	N 36	G 57	I 30	I 18	G 47
N 35	N 32	G 54	B 6	I 23	G 48	B 13	G 53
O 62	N 33	N 39	N 40	N 38	O 74	I 17	O 64
N 37	O 72	B 5	I 25	G 52	B 7	N 44	O 73
O 75	B 8	N 34	B 12	I 28	B 10	I 27	O 70

B	I	N	G	O
7	22	40	60	68
10	30	36	48	64
3	24	Gratuit	59	75
15	18	32	47	63
1	16	42	46	71

Jour 210

○ **ÉCOLLIERS**

○ **ÉCOLIERS**

○ **ÉCHOLIERS**

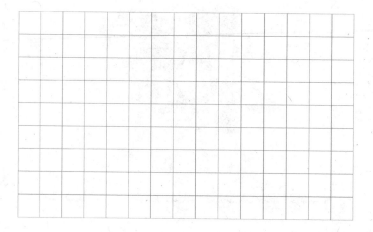

POUSSIN

BOURRASQUES DE MOTS

utoje   _ _ _ e _

nepic   _ i _ _ _

siospno   _ _ _ _ s _ _

sannaa   _ _ a _ _ _

imaiten _ _ t _ _ _ _

LE SERRURIER

17 + 5 = ☐   10 + 7 = ☐   7 + 1 = ☐

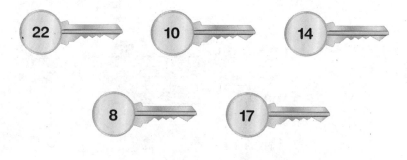

22   10   14

8   17

Jour 216

LE TRADUCTEUR

RODENT

Mouse   Hedgehog   Beaver

Rabbit   Hamster   Squirrel

1. H_ _s_ _ _

2. S_ u _ _ _e_

3. _ea_ _ _

4. H_d_ _ _o_

5. M_ _ _e

6. _a_ _i_

LE JUMEAU

1.

2.

3.

4.

5.

6.

Jour 218

TORNADES DE LETTRES

U N G E

A

Jour 219

MOTS ENTRECROISÉS

3
Ver

4
Puce

5
Cocon

6
Fourmi
Mouche

7
Abeille

8
Chenille

9
Libellule

10
Sauterelle

Jour 220

MOT DANS L'OMBRE

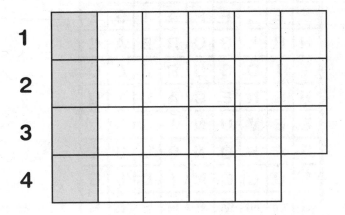

Meuble dans le salon

1 Liquide produit par la bouche.
2 Résultat d'un travail artistique.
3 Petit fruit rouge.
4 Premier mois du printemps.

MOTS CACHÉS

M	C	M	O	R	A	N	G	E
E	E	E	F	R	A	I	S	E
N	R	L	B	O	R	E	A	C
T	I	O	S	U	R	J	C	O
H	S	N	E	C	A	U	I	U
E	E	V	U	N	I	J	D	L
B	A	S	O	N	S	U	U	E
S	U	C	O	N	I	B	L	U
G	O	M	M	E	N	E	E	R

Acidulé   Jujube   Saveur
Cerise   Melon   Suçon
Couleur   Menthe   Sucre
Fraise   Orange
Gomme   Raisin

Mot de 6 lettres :

_____

DE POINT EN POINT

MOTS À DÉCOUVRIR

1
↑ _ _ _ _ _

2
↑ _ _ _ _ _ _

3
_ _
↑

4
_ _ _ _ _
↑

5
_ _ _ _ _
↑

6
_ _ _ _ _
↑

_ _ _ _ _ _
1 2 3 4 5 6

Jour 224

CODE SECRET

□ = A □ = B □ = C □ = D □ = E □ = F
□ = G □ = H □ = I □ = J □ = K □ = L
□ = M □ = N □ = O □ = P □ = Q □ = R
□ = S □ = T □ = U □ = V □ = W □ = X
□ = Y □ = Z

__ _____ _____ ____

__ _____ _Â___ __

____ ____ __ ___

__ __ _____

LABYRINTHE

SUDOKU

LES ENSEMBLES

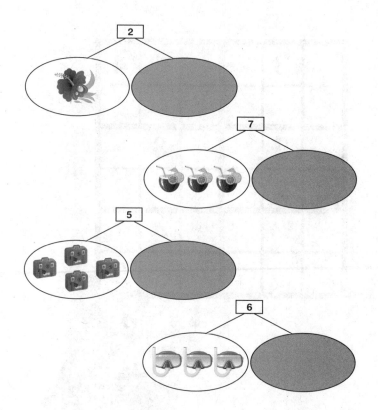

Jour 229

Jour 230

L'HEURE

SUDOKU DESSINS

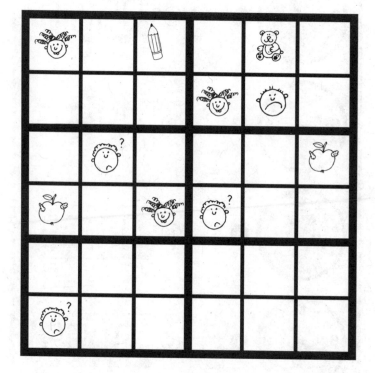

CARRÉS MAGIQUES

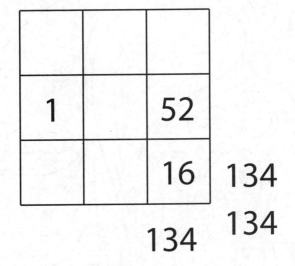

1		52
		16

134   134

134   134

96 81 66 37
31 22

DESSIN À COLORIER

Jour 234

BINGO

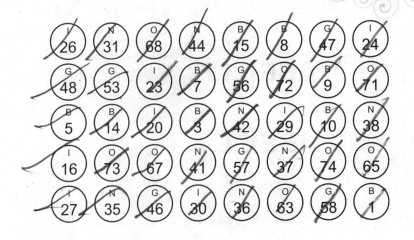

I	N	O	N	B	B	G	I
26	31	68	44	15	8	47	24
G	G	I	B	G	O	B	O
48	53	23	7	56	72	9	71
B	B	I	B	N	I	B	N
5	14	20	3	42	29	10	38
I	O	O	N	G	N	O	O
16	73	67	41	57	37	74	65
I	N	G	I	N	O	G	B
27	35	46	30	36	63	58	1

B	I	N	G	O
15	23	41	53	63
12	29	35	55	74
5	30	Gratuit	54	72
4	17	43	46	70
3	21	33	59	68

Jour 235

PARFAITE ORTHOGRAPHE

○ **ABEILLE**

○ **ABEILE**

○ **ABAILLE**

LE DOUBLE

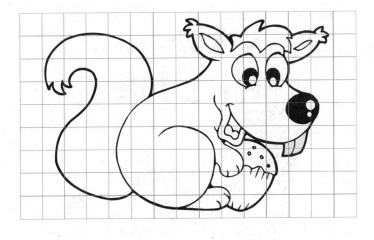

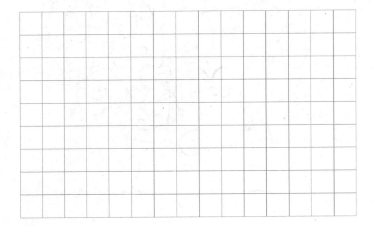

PRUNE

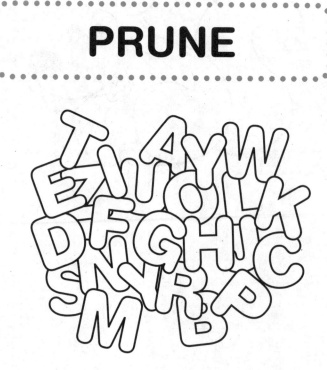

SYMÉTRIE

BOURRASQUES DE MOTS

irnee   _ e _ _ _

bealt   _ _ _ l _

slivea   _ _ _ i _ _

ehmur   _ h _ _ _

irfumo   _ _ _ _ m _

LE SERRURIER

8 + 3 = ☐   17 - 8 = ☐   12 - 2 = ☐

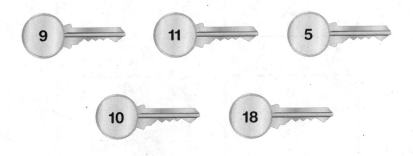

9   11   5

10   18

Jour 241

LE TRADUCTEUR

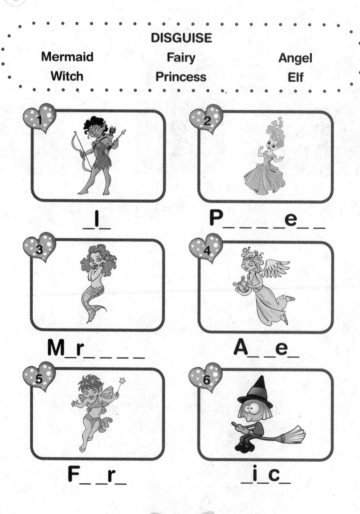

DISGUISE

Mermaid	Fairy	Angel
Witch	Princess	Elf

1. _ l _

2. P _ _ _ _ e _ _

3. M _ r _ _ _ _

4. A _ _ e _

5. F _ _ r _

6. _ i c _

1.

2.

3.

4.

5.

6.

Jour 243

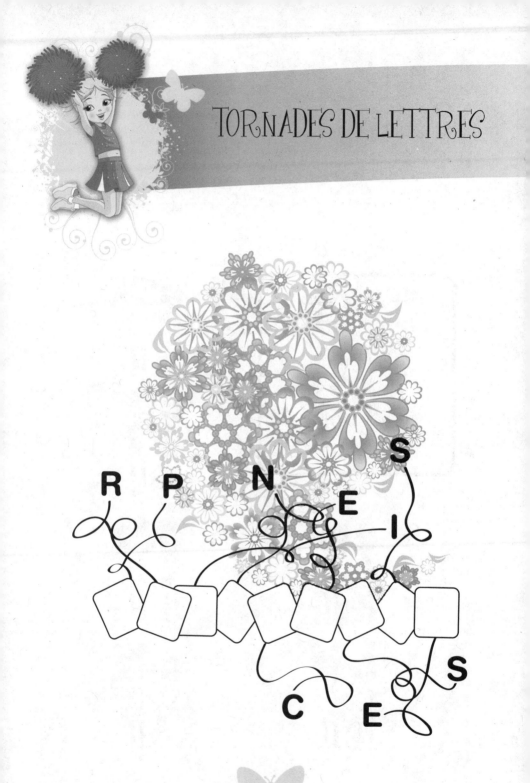

Jour 244

MOTS ENTRECROISÉS

3
Fée

4
Ange
Elfe

5
Reine

6
Lutine
Sirène

8
Comtesse
Duchesse
Sorcière

9
Princesse

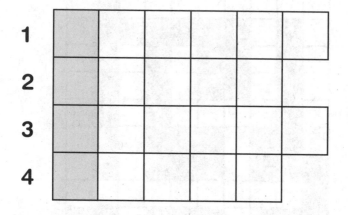

Sorte de fleur

1 Fruit en grappe.
2 Ce que le nez perçoit.
3 Policier dans les films western.
4 Travail que l'on doit faire
pour réussir un examen.

MOTS CACHÉS

M	P	A	U	P	I	E	R	E
A	O	M	B	R	E	U	M	A
S	L	E	V	R	E	S	Q	U
C	B	R	I	L	L	A	N	T
A	R	O	U	G	E	I	S	P
R	L	O	E	I	L	L	F	E
A	C	U	L	A	I	G	A	A
S	O	U	R	C	I	L	R	U
J	M	I	R	O	I	R	D	E

Brillant	Lèvres	Paupière
Cils	Mascara	Peau
Couleur	Miroir	Rouge
Fard	Œil	Sourcil
Joue	Ombre	

Mot de 10 lettres :

_____

DE POINT EN POINT

Jour 248

MOTS À DÉCOUVRIR

1

_ _ _ _ _ ↑

2

_ _ _ _ _ ↑

3

_ _ _ _ ↑ _

4

_ ↑ _ _ _

5

_ ↑ _

6

_ _ _ _ _ _ ↑

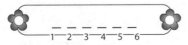

_ _ _ _ _ _
1 2 3 4 5 6

Jour 249

CODE SECRET

🕐 = A   🐿 = B   🌐 = C   📟 = D   🦶 = E   🐷 = F

✂ = G   🌿 = H   🐛 = I   😕 = J   🗑 = K   🎧 = L

😊 = M   🏮 = N   🥔 = O   😀 = P   🐶 = Q   🐹 = R

🥤 = S   🦴 = T   🦋 = U   🧍 = V   🌱 = W   🪟 = X

✌ = Y   🧲 = Z

_ _   _ _ _ _ _ _ _   É _ _ _ _ _ _ _   _ _

_ _ _ _ _   _ _ _ _   _ _ _   _ _ _ _ _

_ _ _ _ _ _ _   _ _ _ _   _ _ _   _ _ _ _ _ _

_ _ _ _ _ _ _   _ _ _   _ _ _ _ _ _ .

Jour 250

LABYRINTHE

Jour 251

LES ENSEMBLES

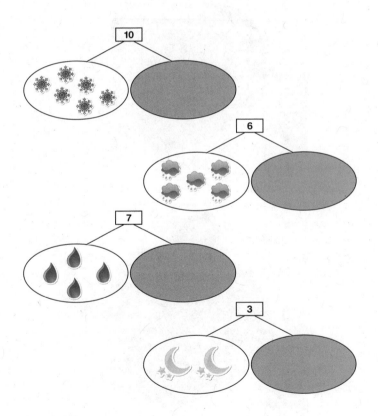

Jour 254

L'ARTISTE

Jour 255

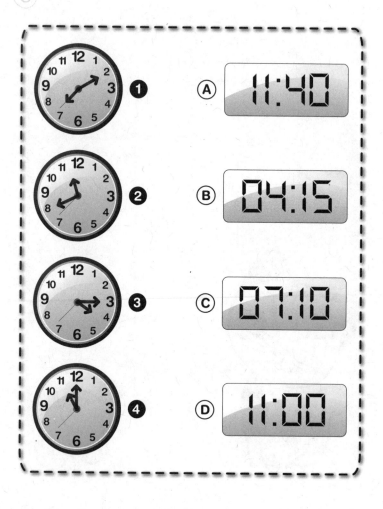

SUDOKU DESSINS

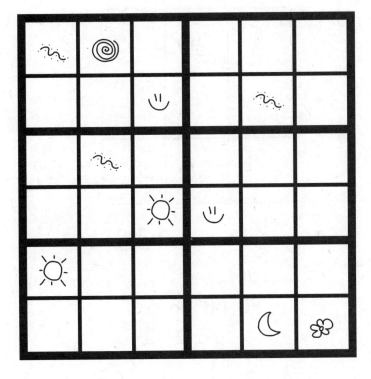

Jour 257

CARRÉS MAGIQUES

	20	
	50	44

136

136

136

136

90 68 66 42
26 2

Jour 259

BINGO

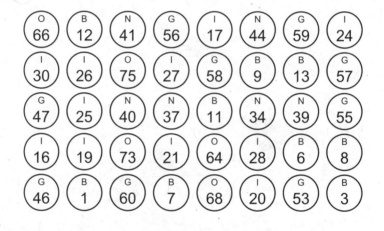

O 66	B 12	N 41	G 56	I 17	N 44	G 59	I 24
I 30	I 26	O 75	I 27	G 58	B 9	B 13	G 57
G 47	I 25	N 40	N 37	B 11	N 34	N 39	G 55
I 16	I 19	O 73	I 21	O 64	I 28	B 6	B 8
G 46	B 1	G 60	B 7	O 68	I 20	G 53	B 3

B	I	N	G	O
8	17	33	59	67
6	25	39	60	61
4	21	Gratuit	56	66
13	19	31	49	72
11	28	36	50	63

Jour 260

PARFAITE ORTHOGRAPHE

○ **SIRÈNE**

○ **SYRÈNE**

○ **SIREINE**

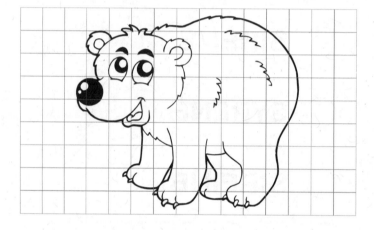

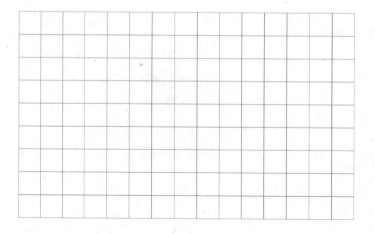

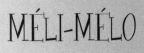

GIRAFFE

SYMÉTRIE

BOURRASQUES DE MOTS

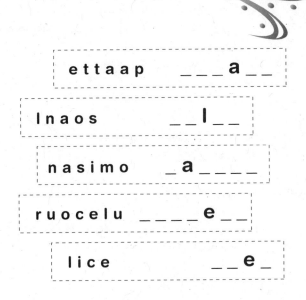

ettaap   _ _ _ a _ _

lnaos   _ _ l _ _

nasimo   _ a _ _ _ _

ruocelu   _ _ _ _ e _ _

lice   _ _ e _

Jour 265

LE SERRURIER

9 - 4 = ☐   15 - 7 = ☐   18 + 2 = ☐

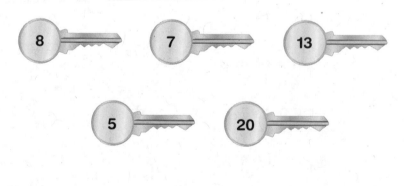

8   7   13

5   20

Jour 266

LE TRADUCTEUR

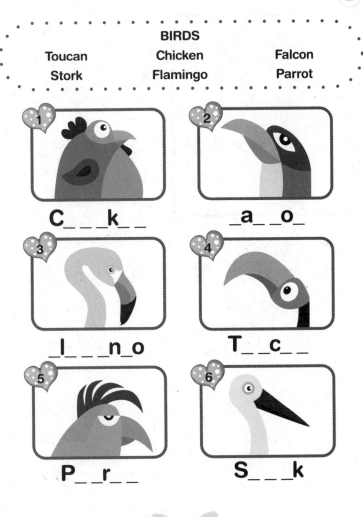

BIRDS

Toucan   Chicken   Falcon
Stork   Flamingo   Parrot

1. C _ _ _ k _ _

2. _ a _ _ o _

3. _ l _ _ n _ o

4. T _ _ c _ _

5. P _ _ r _ _

6. S _ _ _ k

LE JUMEAU

1.

2.

3.

4.

5.

6.

Jour 268

TORNADES DE LETTRES

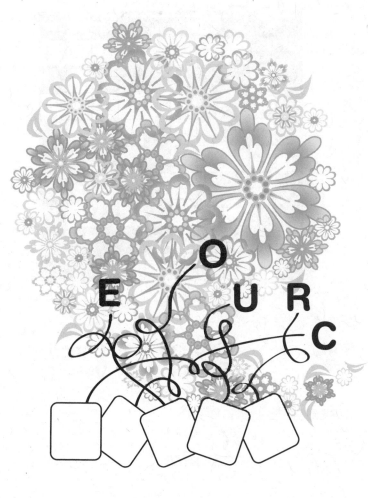

Jour 269

3
Ami

5
Bisou
Câlin
Cœur

6
Cadeau
Rougir
Secret

7
Sourire

8
Chocolat
Valentin

MOT DANS L'OMBRE

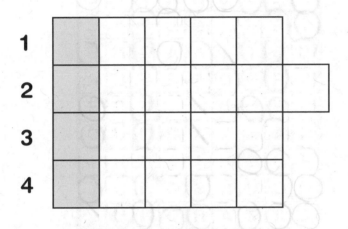

Milieu de la journée

1 Fruit vert et rouge.
2 Qui n'a pas de limite.
3 Un des repas de la journée.
4 Habitation en neige.

P	Z	R	C	H	A	T	K	E
I	E	A	A	N	L	P	A	C
N	B	T	I	A	A	O	N	U
S	R	O	D	A	P	U	G	R
O	E	N	L	M	I	L	O	E
N	A	A	L	A	N	E	U	U
P	O	C	H	I	E	N	R	I
K	O	U	R	S	O	N	O	L
L	E	Z	A	R	D	N	U	L

Chat   Lapin   Pinson
Chien   Lézard   Poule
Écureuil   Lion   Raton
Kangourou   Ourson   Zèbre
Koala   Panda

Mot de 6 lettres :

animal

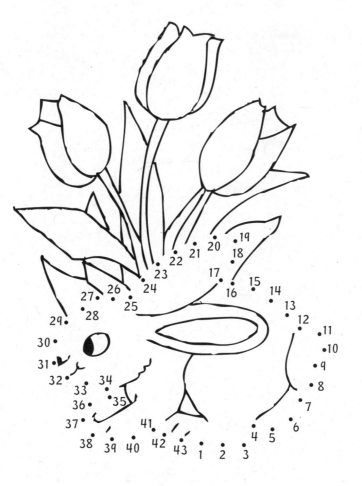

Jour 273

MOTS À DÉCOUVRIR

1

_ _ _ _ _ _
↑

2

_ _ _ _
↑

3

_ _ _ _ _
↑

4

_ _ _ _ _
↑

5

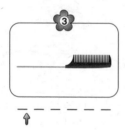

_ _ _ _ _
↑

6

_ _ _ _ _
↑

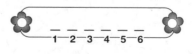

_ _ _ _ _ _
1 2 3 4 5 6

Jour 274

LABYRINTHE

Jour 276

SUDOKU

Jour 277

LES ENSEMBLES

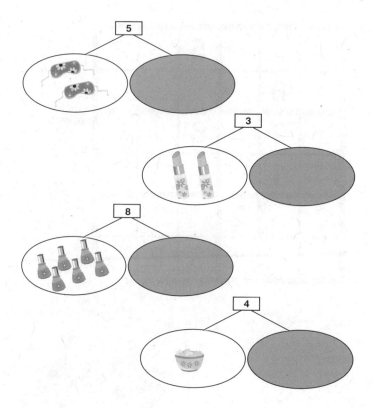

6 ERREURS

Jour 280

L'HEURE

1   A 02:20

2   B 03:35

3   C 02:30

4   D 05:55

SUDOKU DESSINS

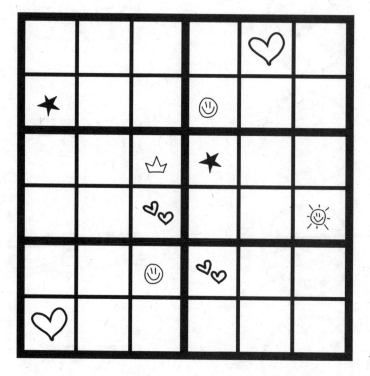

CARRÉS MAGIQUES

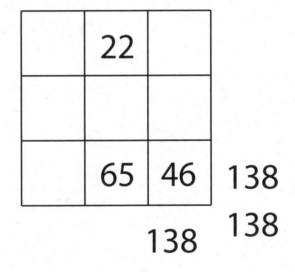

	22	
	65	46

138

138

138

138

75 70 51 41
27 17

BINGO

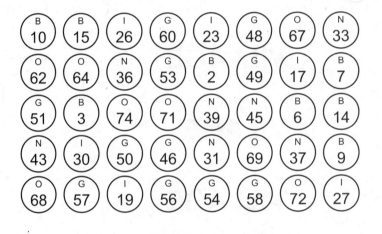

B	I	N	G	O
10	26	33	60	67
15	23	36	48	62
2	17	39	49	64
7	30	31	53	69
3	19	37	50	68
6	27	43	51	71
9		45	54	72
14			56	74
			57	
			58	
			46	

B 10 · B 15 · I 26 · G 60 · I 23 · G 48 · O 67 · N 33

O 62 · O 64 · N 36 · G 53 · B 2 · G 49 · I 17 · B 7

G 51 · B 3 · O 74 · O 71 · N 39 · N 45 · B 6 · B 14

N 43 · I 30 · G 50 · G 46 · N 31 · O 69 · N 37 · B 9

O 68 · G 57 · I 19 · G 56 · G 54 · G 58 · O 72 · I 27

B	I	N	G	O
14	28	35	58	73
3	17	34	49	64
7	23	Gratuit	48	70
15	25	32	46	69
2	26	41	55	61

Jour 285

○ **VILLÂGE**

○ **VILAGE**

○ **VILLAGE**

LE DOUBLE

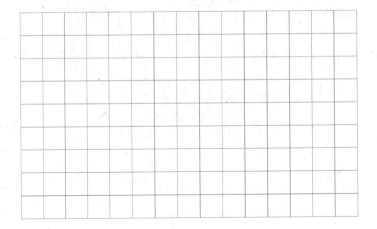

SABLE

SYMÉTRIE

BOURRASQUES DE MOTS

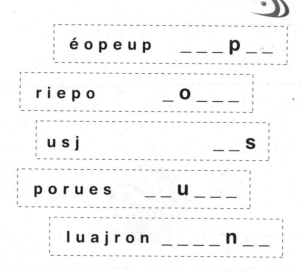

éopeup   _ _ _ **p** _ _

riepo   _ **o** _ _ _

usj   _ _ **s**

porues   _ _ **u** _ _ _

luajron   _ _ _ _ **n** _ _

LE SERRURIER

3 + 14 = ☐   7 - 2 = ☐   13 + 5 = ☐

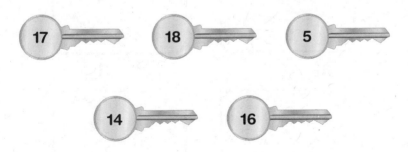

17   18   5

14   16

LE TRADUCTEUR

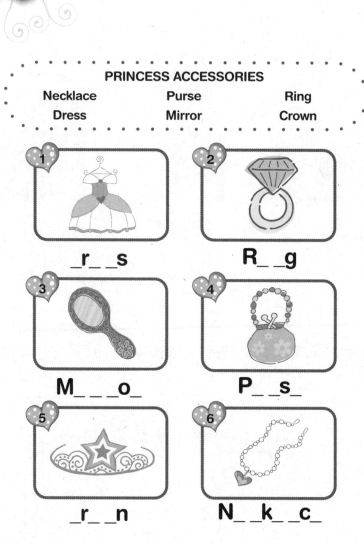

PRINCESS ACCESSORIES

| Necklace | Purse | Ring |
| Dress | Mirror | Crown |

1. _r _ _s

2. R_ _g

3. M_ _o_

4. P_ _s_

5. _r _ _n

6. N_ _k _ c_

Jour 292

LE JUMEAU

1.

2.

3.

4.

5.

6.

TORNADES DE LETTRES

MOTS ENTRECROISÉS

3
Eau

4
Tige

5
Pluie

Terre

6
Plante
Pollen
Soleil
Tulipe

7
Couleur
Feuille

9
Tournesol

MOT DANS L'OMBRE

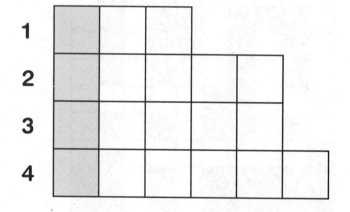

Il répète ce que l'on dit

1 Saison chaude.
2 Femelle du canard.
3 Vêtement.
4 Jouet qui représente un animal.

MOTS CACHÉS

C	C	H	A	T	E	A	U	R
O	P	T	R	O	N	E	E	V
U	P	F	O	U	R	I	R	I
R	O	I	N	R	L	C	T	L
O	N	E	E	A	E	E	A	L
N	T	I	V	V	N	S	P	A
N	P	E	U	I	O	R	I	G
E	H	O	E	S	E	S	S	E
C	D	R	A	P	E	R	I	E

Château	**Fou**	**Tapis**
Chevalier	**Pierre**	**Tour**
Couronne	**Pont**	**Trône**
Douve	**Reine**	**Village**
Draperie	**Roi**	

Mot de 10 lettres :

_____

Jour 297

DE POINT EN POINT

MOTS À DÉCOUVRIR

1

_ _ _ _ _
↑

2

_ _ _ _ _
↑

3

_ _ _ _ _ _
↑

4

_ _ _ _ _ _
↑

5

_ _ _ _ _
↑

6

_ _ _ _
↑

_ _ _ _ _ _
1 2 3 4 5 6

Jour 299

CODE SECRET

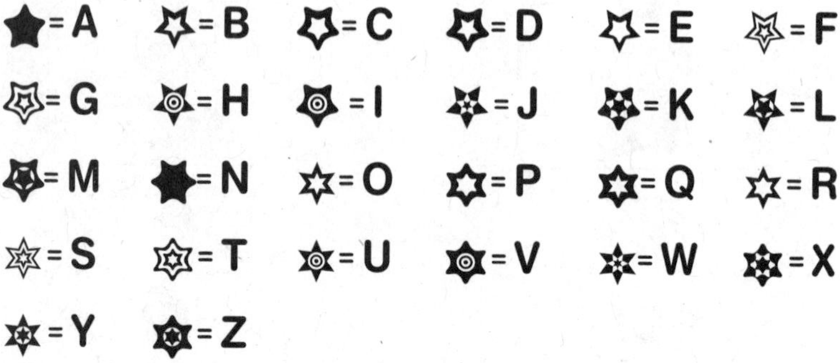

☆=A ☆=B ☆=C ☆=D ☆=E ☆=F
☆=G ☆=H ☆=I ☆=J ☆=K ☆=L
☆=M ★=N ☆=O ☆=P ☆=Q ☆=R
☆=S ☆=T ☆=U ☆=V ☆=W ☆=X
☆=Y ☆=Z

___ ___ ___ ___ __ ___

___ __ ___ ___

___ _ ___ ___ __

___ __ ___ .

LABYRINTHE

Jour 301

SUDOKU

LES ENSEMBLES

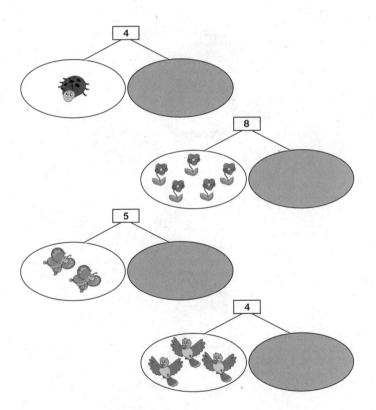

L'ARTISTE

L'HEURE

①	Ⓐ	06:00
②	Ⓑ	08:10
③	Ⓒ	02:00
④	Ⓓ	07:50

SUDOKU DESSINS

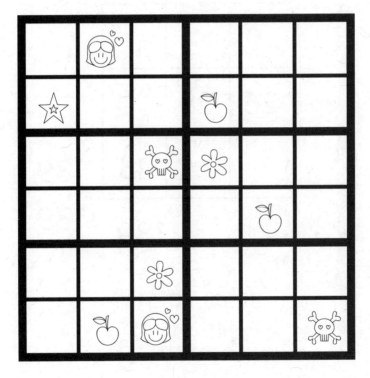

Jour 307

CARRÉS MAGIQUES

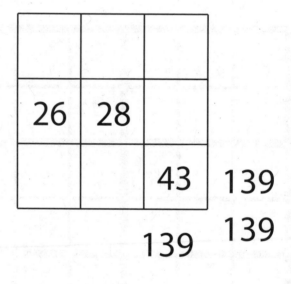

26	28	
		43

139   139

139   139

85 68 60 51
45 11

DESSIN À COLORIER

Jour 309

BINGO

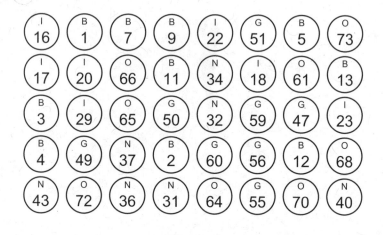

B	I	N	G	O
14	18	33	52	62
4	21	45	54	63
10	22	Gratuit	55	61
12	20	31	60	66
3	17	44	46	69

Jour 310

PARFAITE ORTHOGRAPHE

○ **CHOSSURE**

○ **CHAUSSURE**

○ **CHAUSURE**

LE DOUBLE

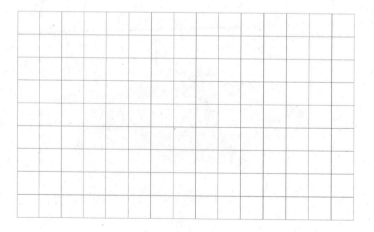

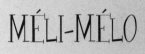
PERLE

SYMÉTRIE

BOURRASQUES DE MOTS

nevost _ _ s _ _ _ _

gureo _ _ u _ _

tregi _ _ _ r _

saipt _ _ _ _ s

nlèapet _ l _ _ _ _ _

Jour 315

LE SERRURIER

8 + 4 = ☐   11 + 8 = ☐   10 + 3 = ☐

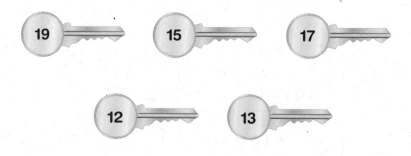

19   15   17

12   13

Jour 316

LE TRADUCTEUR

FRUITS

Cherries   Lemon   Strawberry

Apple   Banana   Grapes

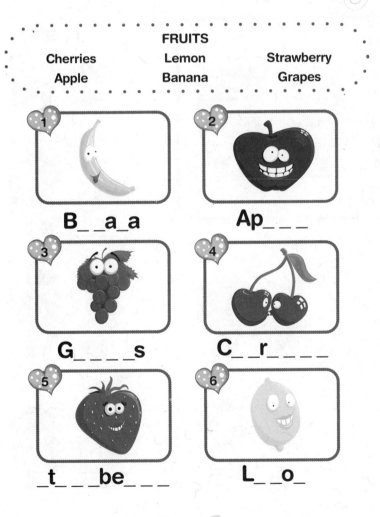

1 B_ _ _a_a

2 Ap_ _ _

3 G_ _ _ _s

4 C_ _r_ _ _ _

5 _t_ _be_ _ _

6 L_ _o_

LE JUMEAU

1.

2.

3.

4.

5.

6.

TORNADES DE LETTRES

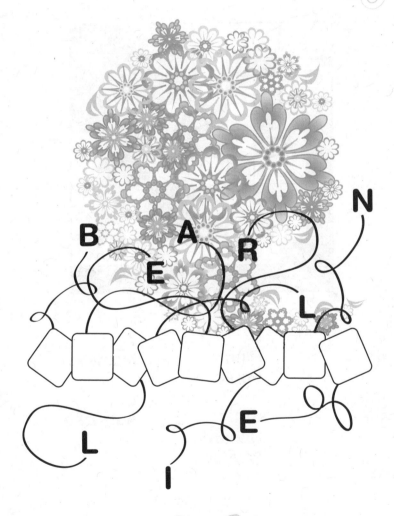

MOTS ENTRECROISÉS

3
Bec
Coq
Nid
Oie

4
Aile

5
Plume
Poule

6
Canard
Faucon

7
Moineau

8
Autruche

MOT DANS L'OMBRE

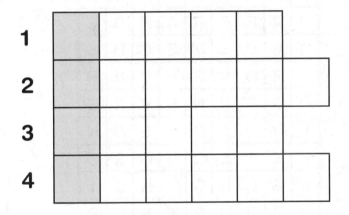

Bébé du chevreuil

1 Instrument à vent.
2 Fait d'agir.
3 Grosse averse de pluie souvent accompagnée de tonnerre.
4 Narine de certains mammifères.

B	T	C	H	A	T	A	I	N
B	R	R	F	R	A	N	G	E
O	L	U	E	M	E	C	H	E
U	R	O	N	S	E	C	B	H
C	O	E	N	N	S	V	R	E
L	U	U	G	D	X	E	O	N
E	X	I	L	O	N	G	S	O
S	E	C	H	O	I	R	S	I
P	C	O	U	R	T	F	E	R

Blond	Court	Noir
Boucle	Fer	Peigne
Brosse	Frange	Roux
Brun	Long	Séchoir
Châtain	Mèche	Tresse

Mot de 7 lettres :

_____

Jour 322

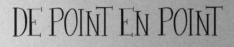

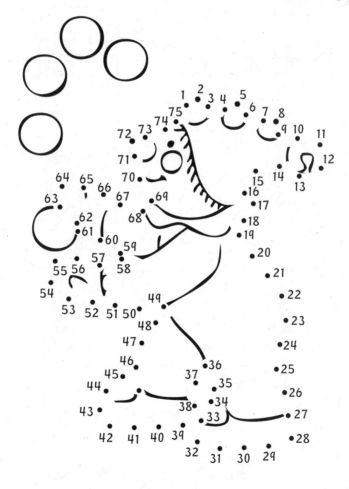

Jour 323

MOTS À DÉCOUVRIR

① _ _ _
↑

② _ _ _ _ _ _
↑

③ _ _ _
↑

④ _ _ _ _ _
↑

⑤ _ _ _ _
↑

⑥ _ _ _ _ _
↑

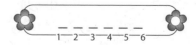

_ _ _ _ _ _
1 2 3 4 5 6

Jour 324

CODE SECRET

SUDOKU

LES ENSEMBLES

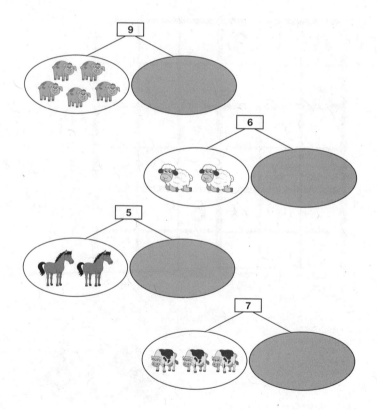

6 ERREURS

Jour 329

L'HEURE

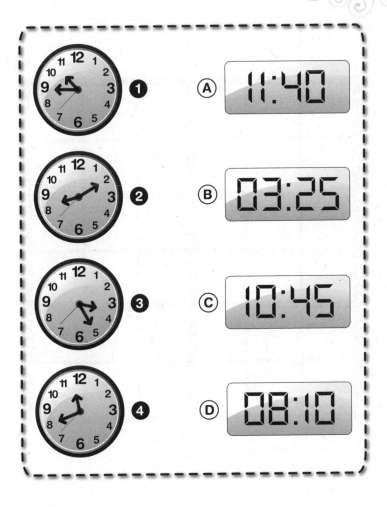

SUDOKU DESSINS

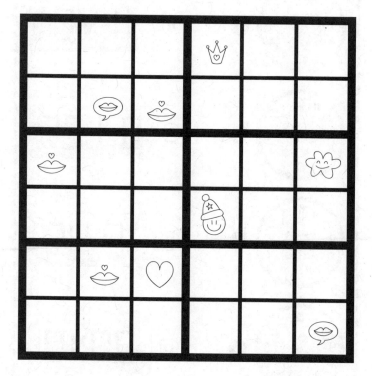

Jour 332

CARRÉS MAGIQUES

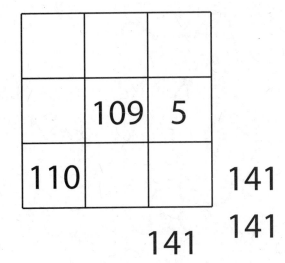

	109	5
110		

141

141   141

108 29 28 27
4 3

Jour 334

BINGO

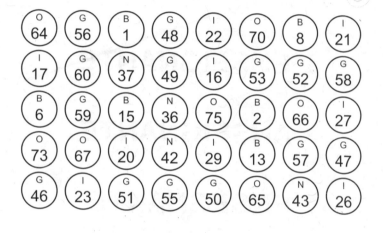

O 64	G 56	B 1	G 48	I 22	O 70	B 8	I 21
I 17	G 60	N 37	G 49	I 16	G 53	G 52	G 58
B 6	G 59	B 15	N 36	O 75	B 2	O 66	I 27
O 73	O 67	I 20	N 42	I 29	B 13	G 57	G 47
G 46	I 23	G 51	G 55	G 50	O 65	N 43	I 26

B	I	N	G	O
8	16	36	57	69
7	17	33	55	72
5	27	Gratuit	56	71
10	25	34	48	70
3	18	37	47	65

Jour 335

○ **ENSEIGNANTE**

○ **ANSEIGNANTE**

○ **ENSÉGNANTE**

LE DOUBLE

Jour 337

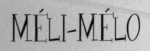

BOTTE

SYMÉTRIE

BOURRASQUES DE MOTS

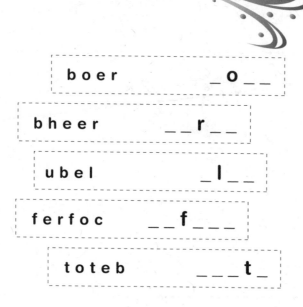

boer   _ o _ _

bheer   _ _ r _ _

ubel   _ l _ _

ferfoc   _ _ f _ _ _

toteb   _ _ _ t _

LE SERRURIER

8 + 7 = ☐   18 - 14 = ☐   9 - 1 = ☐

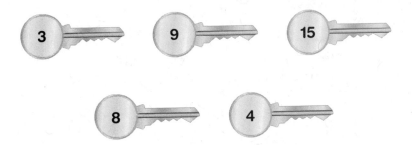

3   9   15

8   4

Jour 341

LE TRADUCTEUR

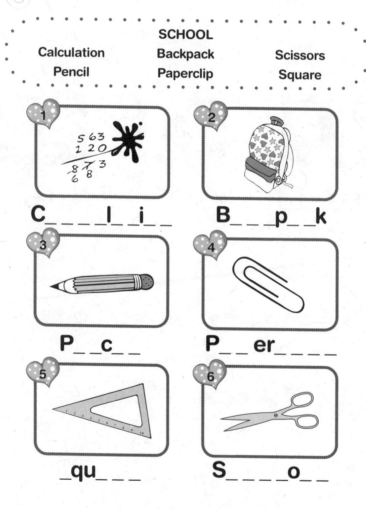

1 — C _ _ _ _ l _ i _ _

2 — B _ _ p _ _ k

3 — P _ _ c _ _

4 — P _ _ er _ _ _ _

5 — _ qu _ _ _

6 — S _ _ _ _ o _ _

LE JUMEAU

1.

2.

3.

4.

5.

6.

Jour 343

TORNADES DE LETTRES

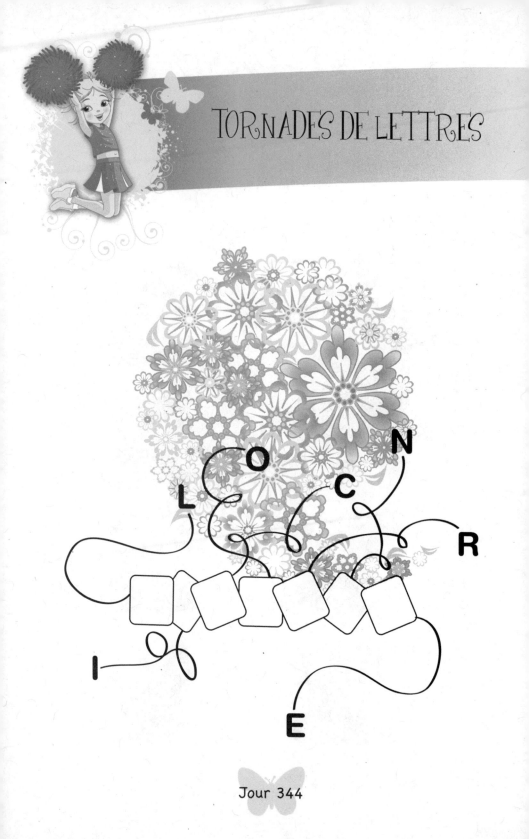

Jour 344

MOTS ENTRECROISÉS

4
Cils
Fard
Joue
Peau

5
Ombre
Rouge

6
Lèvres
Miroir

7
Mascara
Sourcil

9
Paillette

Jour 345

MOT DANS L'OMBRE

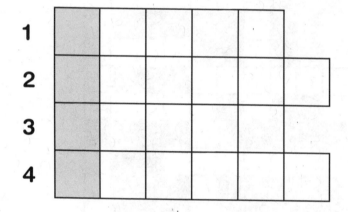

Animal qui hurle à la Lune

1 Pour nous éclairer dans la maison.
2 Animal de cirque.
3 Gros bâtiment où l'on fabrique des objets.
4 La fleur en a.

P	O	L	L	E	N	F	L	S
L	C	O	U	L	E	U	R	O
A	T	P	E	T	A	L	E	L
N	E	T	U	L	I	P	E	E
T	R	A	C	I	N	E	I	I
E	R	P	A	R	F	U	M	L
F	E	U	I	L	L	E	E	U
T	I	G	E	P	E	A	U	R
T	O	U	R	N	E	S	O	L

Couleur   Plante   Terre
Eau   Pluie   Tige
Feuille   Pollen   Tournesol
Parfum   Racine   Tulipe
Pétale   Soleil

Mot de 5 lettres :

_____

Jour 347

DE POINT EN POINT

Jour 348

MOTS À DÉCOUVRIR

① _ _ _ _ _ _ ↑

② _ _ _ _ _ _ ↑

③ _ _ _ _ _ _ ↑

④ _ _ _ _ _ _ ↑

⑤ _ _ _ _ ↑

⑥ _ _ _ _ _ ↑

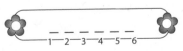

_ _ _ _ _ _
1 2 3 4 5 6

Jour 349

CODE SECRET

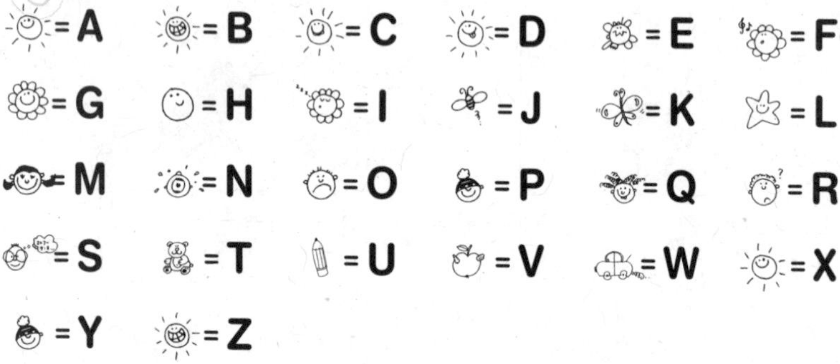

A B C D E F
G H I J K L
M N O P Q R
S T U V W X
Y Z

_ _   _ _ _ _ _   _ _ _ _ _
_ _   _ ' _ _ _ _   _ _ _ _   _ _
_ _ _ _ _ _   _ _ _ _ _   _ _
_ _ _ _ _ _   _ _   _ _ _ _ .

LABYRINTHE

Jour 351

SUDOKU

LES ENSEMBLES

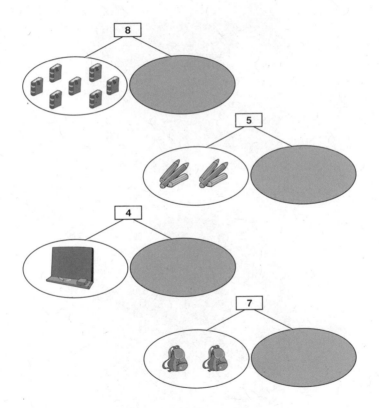

6 ERREURS

Jour 354

L'ARTISTE

Jour 355

L'HEURE

1   A 09:00

2   B 10:25

3   C 05:15

4   D 07:05

SUDOKU DESSINS

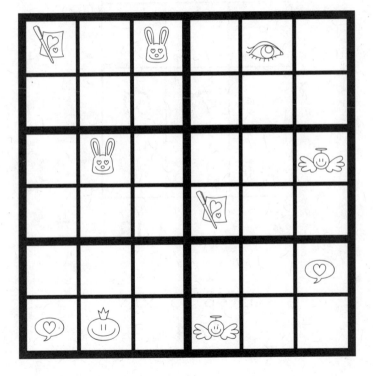

Jour 357

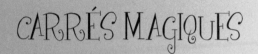

	78	61
91		

143

143

143

65 48 35 30
17 4

Jour 359

BINGO

N 43	I 23	O 64	B 14	G 49	O 70	I 22	B 5
B 7	N 45	G 53	B 15	I 25	G 47	I 28	N 35
G 50	G 48	G 54	G 55	N 33	B 11	O 74	I 16
O 63	G 59	G 52	G 60	I 29	B 8	G 46	N 42
O 62	B 4	O 66	O 67	G 58	N 32	I 30	O 68

B	I	N	G	O
9	21	38	48	63
1	28	39	49	66
14	16	Gratuit	52	71
7	17	40	58	72
8	22	31	50	75

Jour 360

○ **THÉIÈRE**

○ **TÉIÈRE**

○ **TAILLIÈRE**

LE DOUBLE

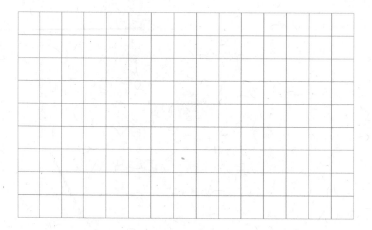

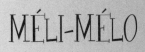

DANSE

BOURRASQUES DE MOTS

rerba   _ _ _ **r** _

léhelec   _ _ _ _ **l** _ _

suticib   _ _ **s** _ _ _ _

aimeg   _ _ _ **i** _

olvnio   _ _ **o** _ _ _

Jour 365

SOLUTIONS

SOLUTIONS

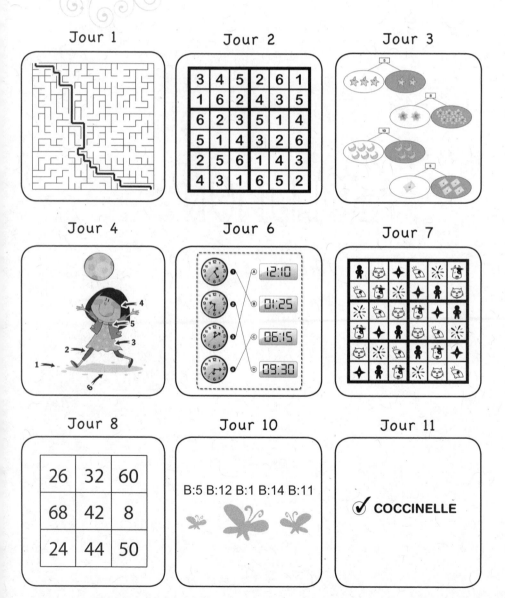

Jour 1

Jour 2

3	4	5	2	6	1
1	6	2	4	3	5
6	2	3	5	1	4
5	1	4	3	2	6
2	5	6	1	4	3
4	3	1	6	5	2

Jour 3

Jour 4

Jour 6

Jour 7

Jour 8

26	32	60
68	42	8
24	44	50

Jour 10

B:5 B:12 B:1 B:14 B:11

Jour 11

✓ COCCINELLE

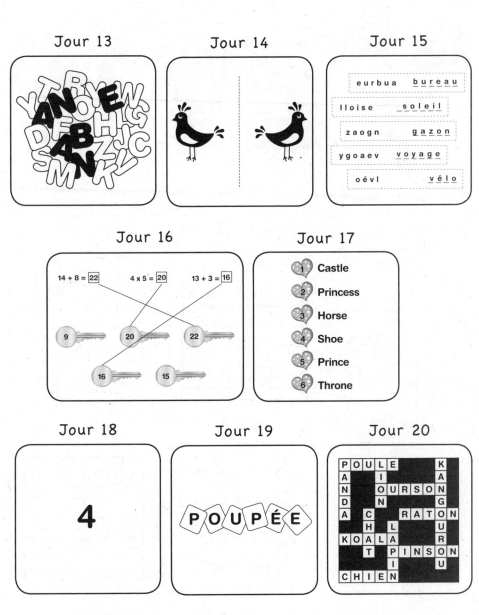

Jour 13

Jour 14

Jour 15

eurbua   <u>bureau</u>

lloise   <u>soleil</u>

zaogn   <u>gazon</u>

ygoaev   <u>voyage</u>

oévl   <u>vélo</u>

Jour 16

14 + 8 = 22   4 x 5 = 20   13 + 3 = 16

9   20   22

16   15

Jour 17

1 Castle
2 Princess
3 Horse
4 Shoe
5 Prince
6 Throne

Jour 18

4

Jour 19

POUPÉE

Jour 20

P O U L E   K
A   I   A
N   OURSON   N
D   N   G
A   C   RATON
    H   L   U
KOALA   A   R
    T   PINSON O
            I   U
CHIEN   N

Jour 21

1 B A R B E
2 A V I O N
3 I D O L E
4 E N N U I

Jour 22

AMOUR

Jour 24

BONBON

Jour 25

LE MAGICIEN A SORTI
UN LAPIN BLANC
ET UNE COLOMBE
DE SON CHAPEAU.

SOLUTIONS

Jour 26

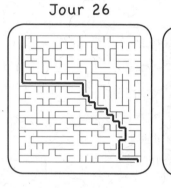

Jour 27

4	2	6	1	3	5
5	3	1	2	6	4
3	1	4	5	2	6
2	6	5	3	4	1
6	5	2	4	1	3
1	4	3	6	5	2

Jour 28

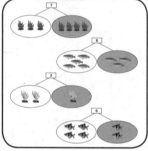

Jour 29

Jour 31

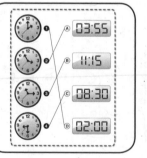

Jour 32

Jour 33

27	32	61
6	74	40
87	14	19

Jour 35

N:44 N:45 N:36 N:32

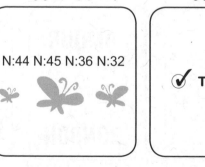

Jour 36

✓ **TOURISTE**

Jour 38

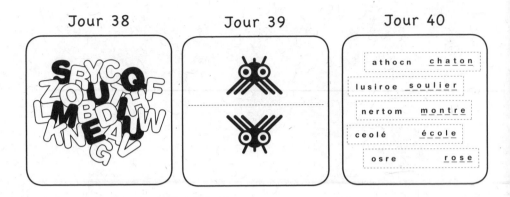

Jour 39

Jour 40

athocn	<u>chaton</u>
lusiroe	<u>soulier</u>
nertom	<u>montre</u>
ceolé	<u>école</u>
osre	<u>rose</u>

Jour 41

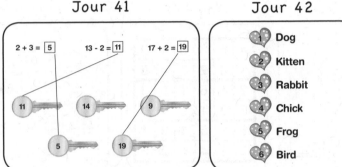

$2 + 3 = \boxed{5}$ $13 - 2 = \boxed{11}$ $17 + 2 = \boxed{19}$

11   14   9

5   19

Jour 42

1 Dog
2 Kitten
3 Rabbit
4 Chick
5 Frog
6 Bird

Jour 43

3

Jour 44

O I S E A U

Jour 45

		R		S	A	B	L	E
N	A	G	E		U		A	
		Q		C	L		U	
		U		O	L			
		P	I	E	R	R	E	
R		I		N	A		A	
E		N		A			L	
C	O	Q	U	I	L	L	A	G	E
I							U	
F		B	A	L	E	I	N	E

Jour 46

1	N	O	I	X
2	O	C	E	A	N
3	E	L	F	E
4	L	A	R	M	E

Jour 47

INSECTE

Jour 49

CRAYON

Jour 50

IL PLEUT IL MOUILLE
C'EST LA FÊTE
À LA GRENOUILLE.

SOLUTIONS

Jour 51

Jour 52

4	5	3	6	1	2
1	6	2	3	4	5
2	4	6	1	5	3
5	3	1	2	6	4
6	2	5	4	3	1
3	1	4	5	2	6

Jour 53

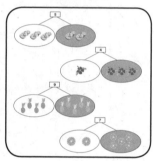

Jour 54

Jour 56

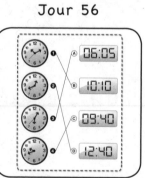

Jour 57

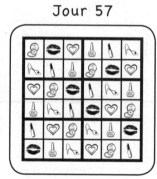

Jour 58

41	56	24
38	33	50
42	32	47

Jour 60

B:6 I:23 G:51 O:67

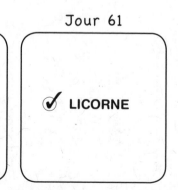

Jour 61

✓ **LICORNE**

Jour 63

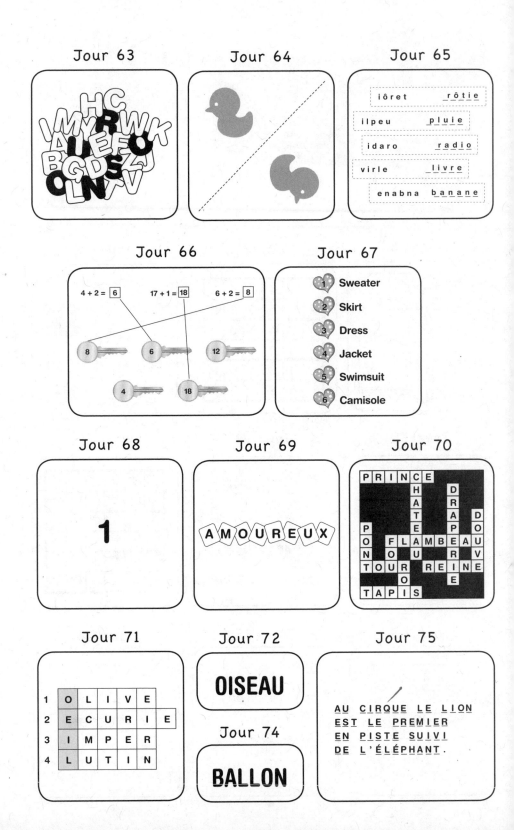

Jour 64

Jour 65

iôret   rôtie

ilpeu   pluie

idaro   radio

virle   livre

enabna   banane

Jour 66

4 + 2 = 6   17 + 1 = 18   6 + 2 = 8

8   6   12

4   18

Jour 67

1 Sweater
2 Skirt
3 Dress
4 Jacket
5 Swimsuit
6 Camisole

Jour 68

1

Jour 69

AMOUREUX

Jour 70

P	R	I	N	C	E			D			
			H					R			D
			A					A			O
			T					P			O
P			E					E			V
O		F	L	A	M	B	E	A	U		V
N		O		U				R			E
T	O	U	R		R	E	I	N	E		
		O							E		
T	A	P	I	S							

Jour 71

1	O	L	I	V	E	
2	E	C	U	R	I	E
3	I	M	P	E	R	
4	L	U	T	I	N	

Jour 72

OISEAU

Jour 74

BALLON

Jour 75

AU CIRQUE LE LION
EST LE PREMIER
EN PISTE SUIVI
DE L'ÉLÉPHANT.

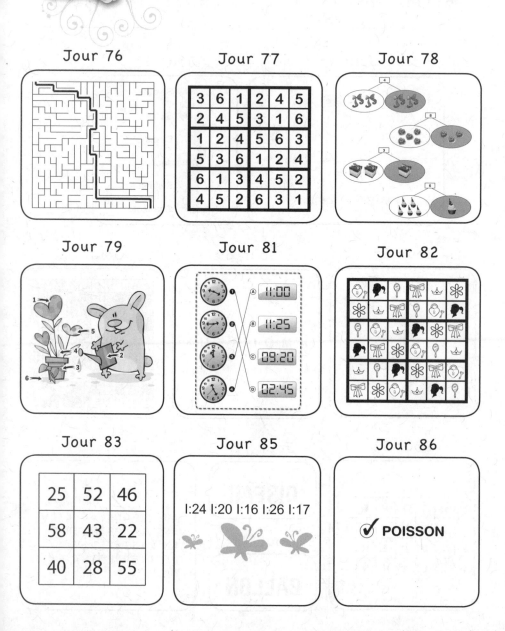

Jour 76

Jour 77

Jour 78

Jour 79

Jour 81

Jour 82

Jour 83

Jour 85

I:24 I:20 I:16 I:26 I:17

Jour 86

✓ POISSON

Jour 88

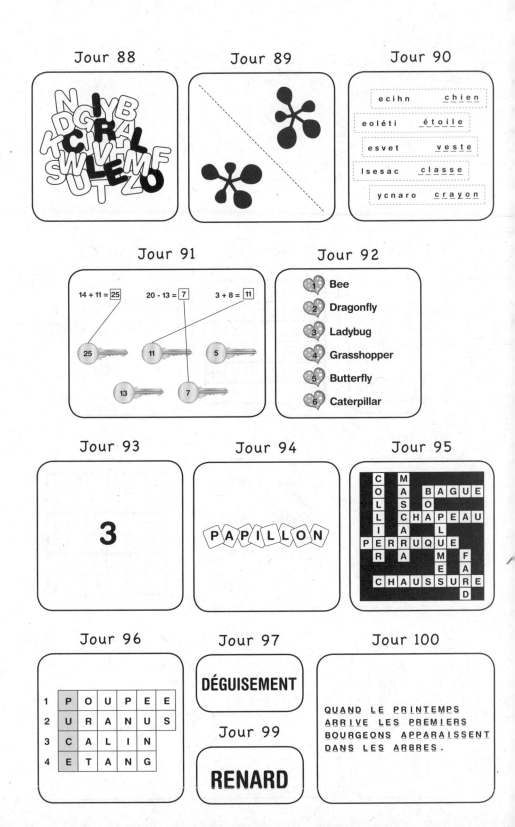

Jour 89

Jour 90

ecihn	chien
eoléti	étoile
esvet	veste
lsesac	classe
ycnaro	crayon

Jour 91

14 + 11 = 25   20 - 13 = 7   3 + 8 = 11

25   11   5

13   7

Jour 92

1 Bee
2 Dragonfly
3 Ladybug
4 Grasshopper
5 Butterfly
6 Caterpillar

Jour 93

3

Jour 94

PAPILLON

Jour 95

```
C   M
O   A       B A G U E
L   S
L   C H A P E A U
I   A       L
P E R R U Q U E
  R   A     M   F
        E   A
C H A U S S U R E
            D
```

Jour 96

1	P	O	U	P	E E
2	U	R	A	N	U S
3	C	A	L	I	N
4	E	T	A	N	G

Jour 97

DÉGUISEMENT

Jour 99

RENARD

Jour 100

QUAND LE PRINTEMPS
ARRIVE LES PREMIERS
BOURGEONS APPARAISSENT
DANS LES ARBRES.

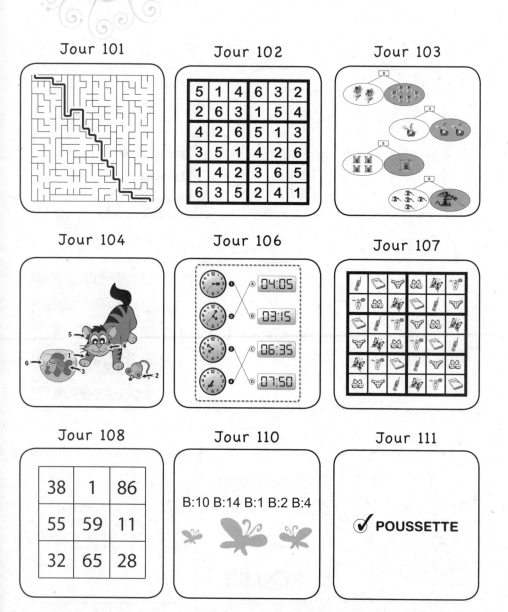

Jour 101

Jour 102

5	1	4	6	3	2
2	6	3	1	5	4
4	2	6	5	1	3
3	5	1	4	2	6
1	4	2	3	6	5
6	3	5	2	4	1

Jour 103

Jour 104

Jour 106

A 04:05
B 03:15
C 06:35
D 07:50

Jour 107

Jour 108

38	1	86
55	59	11
32	65	28

Jour 110

B:10 B:14 B:1 B:2 B:4

Jour 111

✓ POUSSETTE

Jour 113

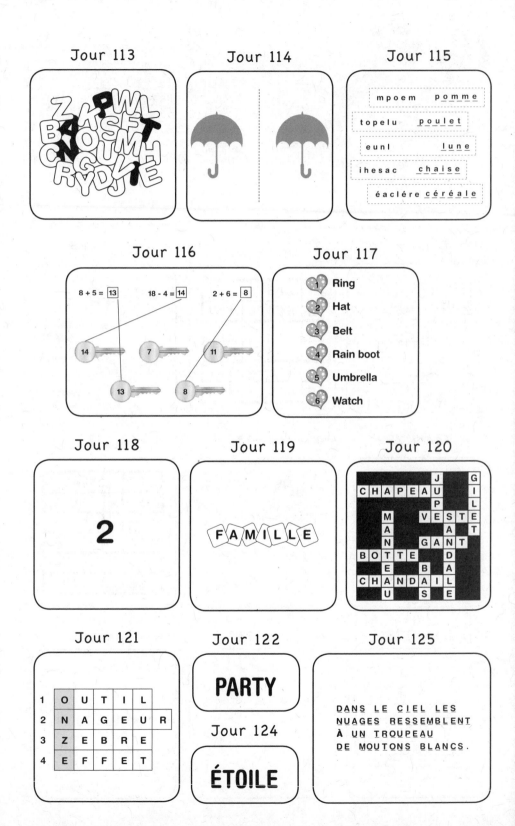

Jour 114

Jour 115

mpoem   p o m m e

topelu   p o u l e t

eunl   l u n e

ihesac   c h a i s e

éaclére   c é r é a l e

Jour 116

8 + 5 = 13   18 - 4 = 14   2 + 6 = 8

14   7   11

13   8

Jour 117

1 Ring
2 Hat
3 Belt
4 Rain boot
5 Umbrella
6 Watch

Jour 118

2

Jour 119

FAMILLE

Jour 120

			J		G
C H A P E A U			P		I
		M		V E S T E	L
		A		A	T
		N		G A N T	
B O T T E				D	
	E		B	A	
C H A N D A I L				
	U		S	E	

Jour 121

1	O	U	T	I	L
2	N	A	G	E	U	R
3	Z	E	B	R	E
4	E	F	F	E	T

Jour 122

PARTY

Jour 124

ÉTOILE

Jour 125

DANS LE CIEL LES
NUAGES RESSEMBLENT
À UN TROUPEAU
DE MOUTONS BLANCS.

SOLUTIONS

Jour 126

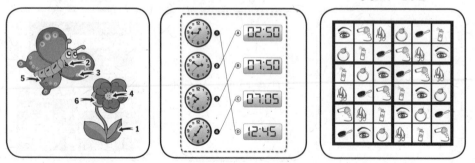

Jour 127

1	2	6	5	4	3
3	5	4	6	1	2
4	1	2	3	5	6
5	6	3	1	2	4
2	3	5	4	6	1
6	4	1	2	3	5

Jour 128

Jour 129

Jour 131

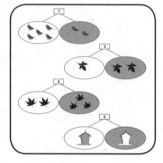

Jour 132

Jour 133

32	27	68
77	43	7
18	57	52

Jour 135

B:12 B:15 B:11 B:1 B:14

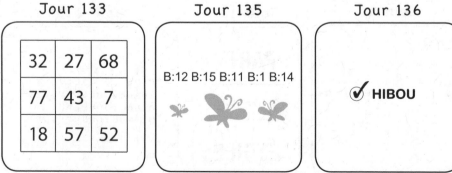

Jour 136

✓ HIBOU

Jour 138

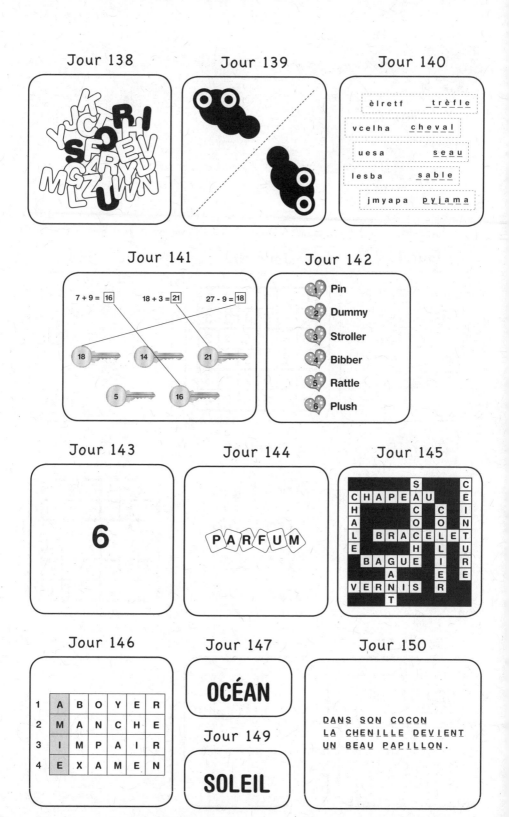

Jour 139

Jour 140

èlretf — _trèfle_

vcelha — _cheval_

uesa — _seau_

lesba — _sable_

jmyapa — _pyjama_

Jour 141

7 + 9 = 16   18 + 3 = 21   27 - 9 = 18

18   14   21

5   16

Jour 142

1. Pin
2. Dummy
3. Stroller
4. Bibber
5. Rattle
6. Plush

Jour 143

6

Jour 144

PARFUM

Jour 145

				S				C
C	H	A	P	E	A	U		E
H				C		C		I
A			B	R	A	C	E	L	E	T
L				O		H		U
E		B	A	G	U	E		R
				A		I		E
V	E	R	N	I	S	E		
				T		R		

Jour 146

1	A	B	O	Y	E	R
2	M	A	N	C	H	E
3	I	M	P	A	I	R
4	E	X	A	M	E	N

Jour 147

OCÉAN

Jour 149

SOLEIL

Jour 150

DANS SON COCON
LA CHENILLE DEVIENT
UN BEAU PAPILLON.

SOLUTIONS

Jour 151

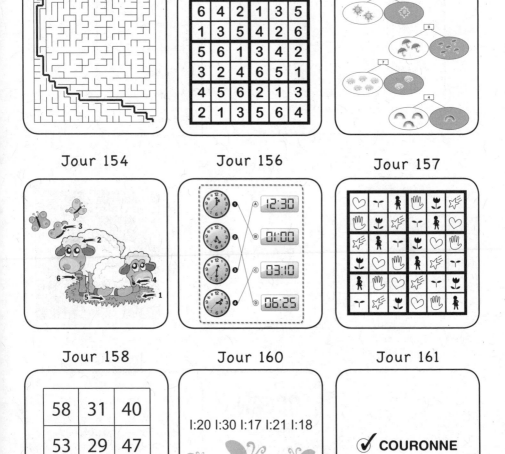

Jour 152

6	4	2	1	3	5
1	3	5	4	2	6
5	6	1	3	4	2
3	2	4	6	5	1
4	5	6	2	1	3
2	1	3	5	6	4

Jour 153

Jour 154

Jour 156

Jour 157

Jour 158

58	31	40
53	29	47
18	69	42

Jour 160

I:20 I:30 I:17 I:21 I:18

Jour 161

✓ COURONNE

Jour 163

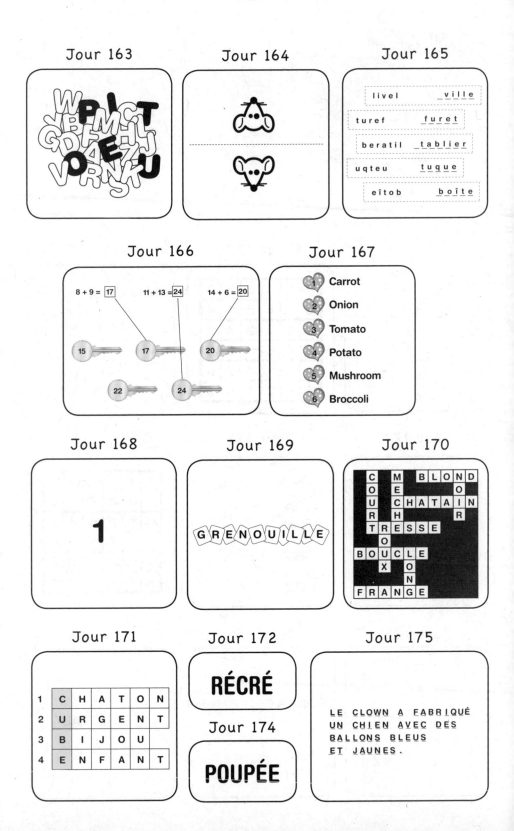

Jour 164

Jour 165

livel	_v i l l e_
turef	f u r e t
beratil	_t a b l i e r_
uqteu	t u q u e
eîtob	b o î t e

Jour 166

8 + 9 = 17   11 + 13 = 24   14 + 6 = 20

15   17   20   22   24

Jour 167

1 Carrot
2 Onion
3 Tomato
4 Potato
5 Mushroom
6 Broccoli

Jour 168

1

Jour 169

GRENOUILLE

Jour 170

C M BLOND
O E O
U CH CHATAIN
R H R
 TRESSE
 O
BOUCLE
 X ON
 N
FRANGE

Jour 171

1	C	H	A	T	O	N
2	U	R	G	E	N	T
3	B	I	J	O	U	
4	E	N	F	A	N	T

Jour 172

RÉCRÉ

Jour 174

POUPÉE

Jour 175

LE CLOWN A FABRIQUÉ
UN CHIEN AVEC DES
BALLONS BLEUS
ET JAUNES.

SOLUTIONS

Jour 176

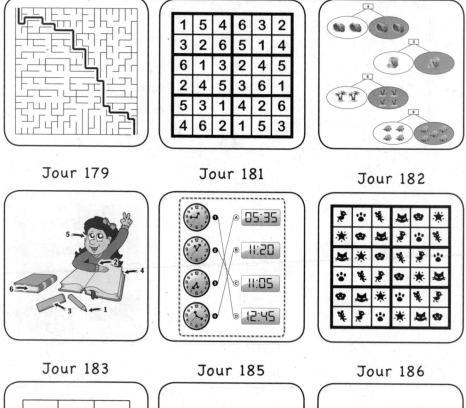

Jour 177

1	5	4	6	3	2
3	2	6	5	1	4
6	1	3	2	4	5
2	4	5	3	6	1
5	3	1	4	2	6
4	6	2	1	5	3

Jour 178

Jour 179

Jour 181

Jour 182

Jour 183

65	35	30
49	23	58
16	72	42

Jour 185

G:59 G:54 G:55 G:51 G:56

Jour 186

✓ CHÂTEAU

Jour 188

Jour 189

Jour 190

tgna	<u>g</u>a<u>nt</u>
cehav	<u>vache</u>
duiare	<u>rideau</u>
lèreg	<u>règle</u>
naicmo	<u>camion</u>

Jour 191

9 + 2 = 11   5 + 17 = 22   18 - 2 = 16

22   17   18

11   16

Jour 192

1. Oyster
2. Sea horse
3. Starfish
4. Octopus
5. Turtle
6. Dolphin

Jour 193

4

Jour 194

ÉTOILE

Jour 195

					S	U	C	R	E
			M		U		H		
S	A	V	E	U	R		O	C	
U			L				C	E	
C			O				O	R	
O	R	A	N	G	E	L	L	I	
N			O				A	S	
			M	E	N	T	H	E	
			M						
C	O	U	L	E	U	R			

Jour 196

1	T	R	A	C	E	S
2	O	R	A	N	G	E
3	I	V	O	I	R	E
4	T	A	M	T	A	M

Jour 197

MODE

Jour 199

FRAISE

Jour 200

LA PLUPART DES DINOSAURES
ÉTAIENT VÉGÉTARIENS
MAIS CERTAINS ÉTAIENT
CARNIVORES.

SOLUTIONS

Jour 201

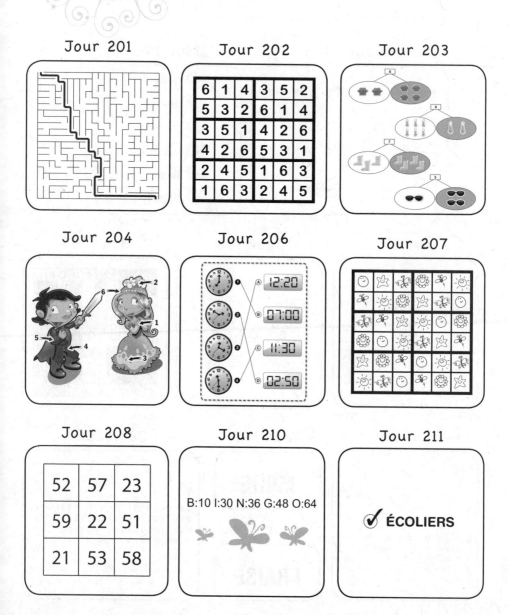

Jour 202

6	1	4	3	5	2
5	3	2	6	1	4
3	5	1	4	2	6
4	2	6	5	3	1
2	4	5	1	6	3
1	6	3	2	4	5

Jour 203

Jour 204

Jour 206

Jour 207

Jour 208

52	57	23
59	22	51
21	53	58

Jour 210

B:10 I:30 N:36 G:48 O:64

Jour 211

✔ ÉCOLIERS

Jour 213

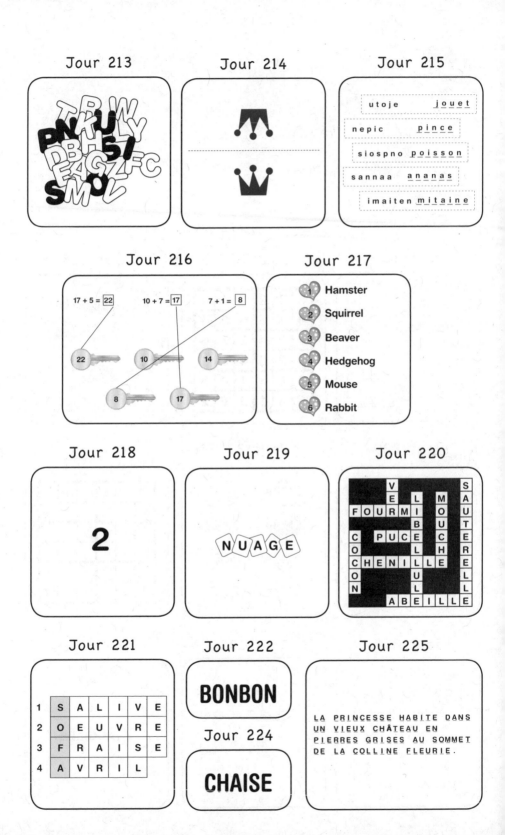

Jour 214

Jour 215

utoje	<u>jouet</u>
nepic	<u>pince</u>
siospno	<u>poisson</u>
sannaa	<u>ananas</u>
imaiten	<u>mitaine</u>

Jour 216

17 + 5 = 22   10 + 7 = 17   7 + 1 = 8

22   10   14

8   17

Jour 217

1 Hamster
2 Squirrel
3 Beaver
4 Hedgehog
5 Mouse
6 Rabbit

Jour 218

2

Jour 219

NUAGE

Jour 220

		V	E		L		M			S
		E			O		O			A
F	O	U	R	M	I		U			U
			B				C			T
C		P	U	C	E		H			E
O			L				E			R
C	H	E	N	I	L	L	E			E
O			U							L
N			L							L
		A	B	E	I	L	L	E		E

Jour 221

1	S	A	L	I	V	E
2	O	E	U	V	R	E
3	F	R	A	I	S	E
4	A	V	R	I	L	

Jour 222

BONBON

Jour 224

CHAISE

Jour 225

LA PRINCESSE HABITE DANS UN VIEUX CHÂTEAU EN PIERRES GRISES AU SOMMET DE LA COLLINE FLEURIE.

SOLUTIONS

Jour 226

Jour 227

6	3	2	5	1	4
4	1	5	6	2	3
1	5	4	2	3	6
3	2	6	4	5	1
2	6	3	1	4	5
5	4	1	3	6	2

Jour 228

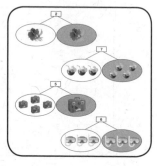

Jour 229

Jour 231

Jour 232

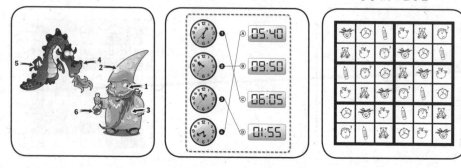

Jour 233

37	31	66
1	81	52
96	22	16

Jour 235

B:15 I:29 G:46 O:68

Jour 236

✓ **ABEILLE**

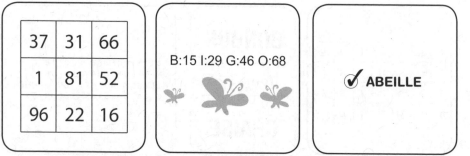

Jour 238

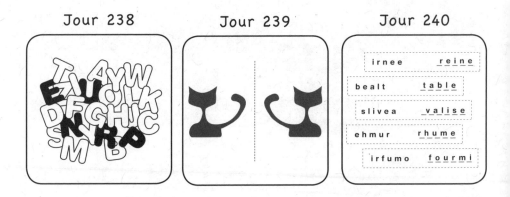

Jour 239

Jour 240

irnee	<u>reine</u>
bealt	<u>table</u>
slivea	<u>valise</u>
ehmur	<u>rhume</u>
irfumo	<u>fourmi</u>

Jour 241

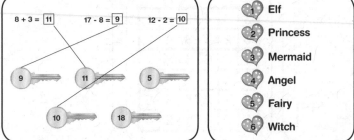

8 + 3 = 11   17 - 8 = 9   12 - 2 = 10

Jour 242

1. Elf
2. Princess
3. Mermaid
4. Angel
5. Fairy
6. Witch

Jour 243

3

Jour 244

PRINCESSE

Jour 245

S	O	R	C	I	E	R	E		D
I		E							U
R		I		F		C			C
E		N		E		O			H
N		E	L	F	E	M			E
E		U				T			S
		T				E			S
	P	R	I	N	C	E	S	S	E
				N				S	
A	N	G	E					E	

Jour 246

1	R	A	I	S	I	N
2	O	D	E	U	R	
3	S	H	E	R	I	F
4	E	T	U	D	E	

Jour 247

MAQUILLAGE

Jour 249

SOURIS

Jour 250

LE SOLEIL ÉCLAIRE LE
CHAT QUI SE FAIT
BRONZER SUR LE BALCON
DEVANT LA MAISON.

SOLUTIONS

Jour 251

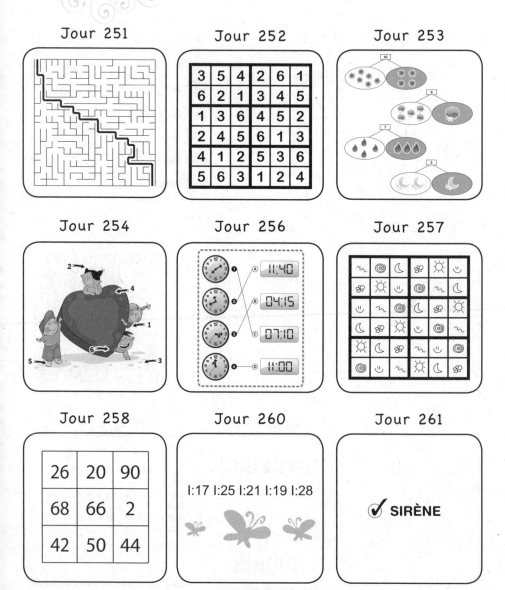

Jour 252

3	5	4	2	6	1
6	2	1	3	4	5
1	3	6	4	5	2
2	4	5	6	1	3
4	1	2	5	3	6
5	6	3	1	2	4

Jour 253

Jour 254

Jour 256

1 — A 11:40
2 — B 04:15
3 — C 07:10
4 — D 11:00

Jour 257

Jour 258

26	20	90
68	66	2
42	50	44

Jour 260

I:17 I:25 I:21 I:19 I:28

Jour 261

✓ SIRÈNE

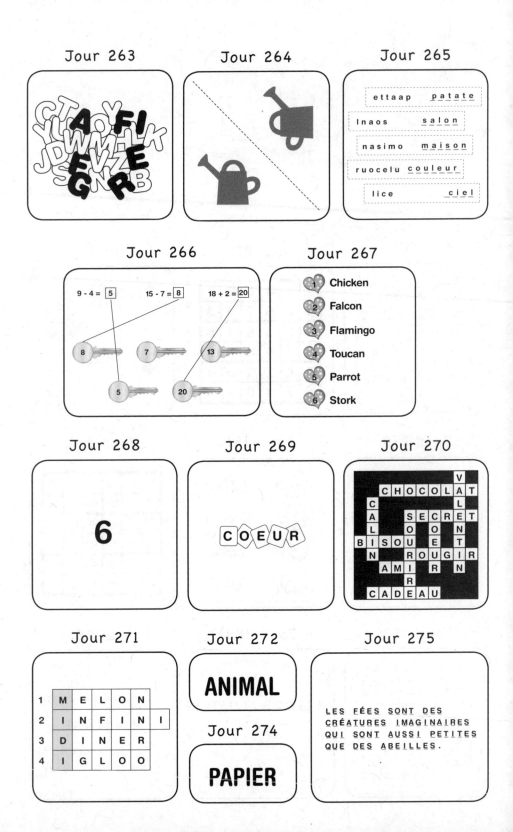

Jour 263

Jour 264

Jour 265

ettaap   patate

lnaos   salon

nasimo   maison

ruocelu   couleur

lice   ciel

Jour 266

9 - 4 = 5   15 - 7 = 8   18 + 2 = 20

8   7   13

5   20

Jour 267

1 Chicken
2 Falcon
3 Flamingo
4 Toucan
5 Parrot
6 Stork

Jour 268

6

Jour 269

COEUR

Jour 270

```
            V
  C H O C O L A T
C         L
A     S E C R E T
L     O   O   N
B I S O U   E   T
N     R O U G I R
  A M I   R   R
      R
  C A D E A U
```

Jour 271

1 M E L O N
2 I N F I N I
3 D I N E R
4 I G L O O

Jour 272

ANIMAL

Jour 274

PAPIER

Jour 275

LES FÉES SONT DES
CRÉATURES IMAGINAIRES
QUI SONT AUSSI PETITES
QUE DES ABEILLES.

SOLUTIONS

Jour 276

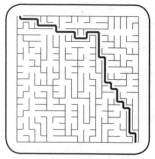

Jour 277

2	3	4	5	6	1
1	6	5	2	4	3
4	2	3	6	1	5
5	1	6	4	3	2
3	4	2	1	5	6
6	5	1	3	2	4

Jour 278

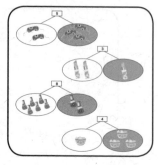

Jour 279

Jour 281

Jour 282

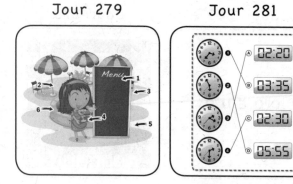

Jour 283

41	22	75
70	51	17
27	65	46

Jour 285

B:14 B:3 B:7 B:15 B:2

Jour 286

✓ VILLAGE

Jour 288

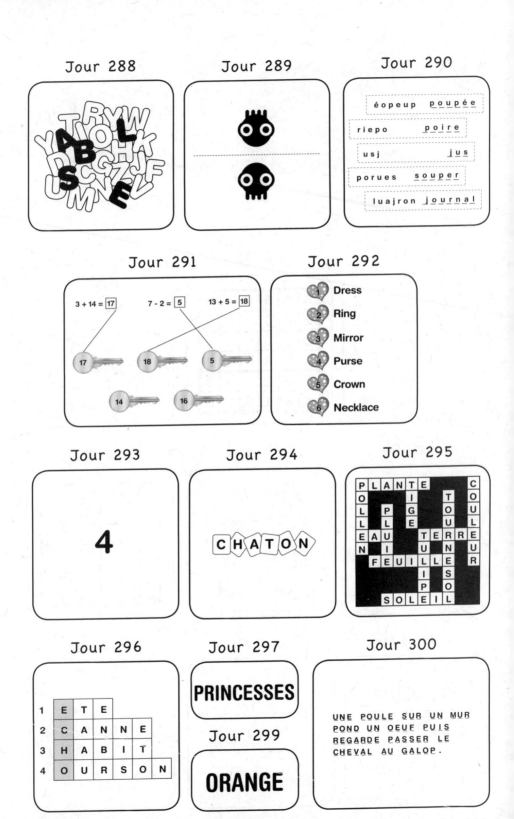

Jour 289

Jour 290

éopeup <u>poupée</u>

riepo <u>poire</u>

usj <u>jus</u>

porues <u>souper</u>

luajron <u>journal</u>

Jour 291

3 + 14 = 17   7 - 2 = 5   13 + 5 = 18

17   18   5

14   16

Jour 292

1 Dress

2 Ring

3 Mirror

4 Purse

5 Crown

6 Necklace

Jour 293

4

Jour 294

CHATON

Jour 295

P	L	A	N	T	E				C
O			I		T				O
L		P	G		O				U
L		L	E		U				L
E	A	U				T	E	R	R	E
N		I			U		N		U
	F	E	U	I	L	L	E		R
				I		P	S		
				P			O		
	S	O	L	E	I	L			

Jour 296

1	E	T	E			
2	C	A	N	N	E	
3	H	A	B	I	T	
4	O	U	R	S	O	N

Jour 297

PRINCESSES

Jour 299

ORANGE

Jour 300

UNE POULE SUR UN MUR
POND UN OEUF PUIS
REGARDE PASSER LE
CHEVAL AU GALOP.

SOLUTIONS

Jour 301

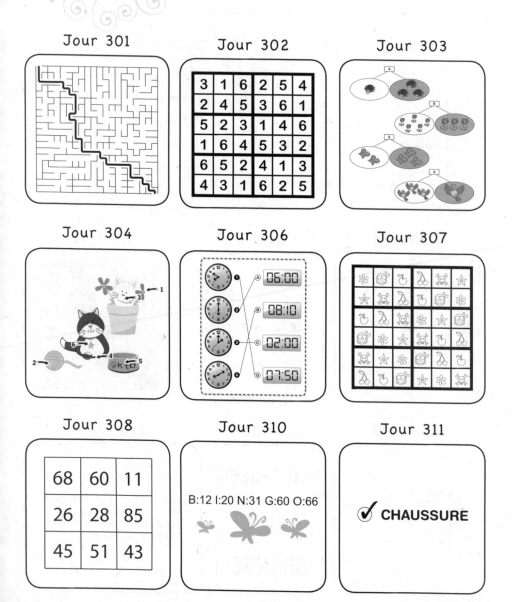

Jour 302

3	1	6	2	5	4
2	4	5	3	6	1
5	2	3	1	4	6
1	6	4	5	3	2
6	5	2	4	1	3
4	3	1	6	2	5

Jour 303

Jour 304

Jour 306

Jour 307

Jour 308

68	60	11
26	28	85
45	51	43

Jour 310

B:12 I:20 N:31 G:60 O:66

Jour 311

✓ CHAUSSURE

Jour 313

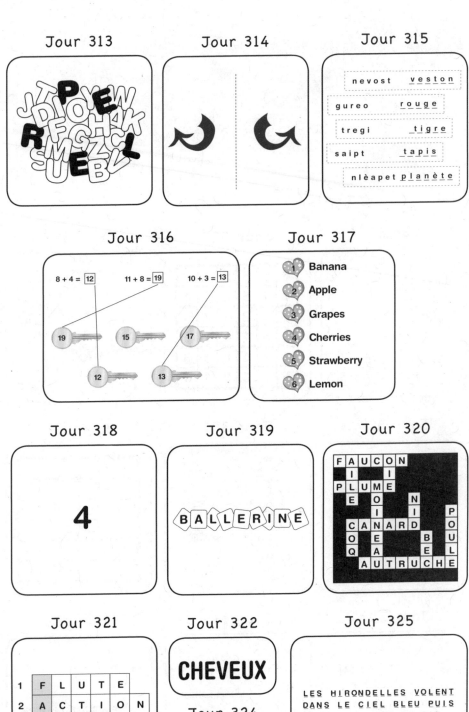

Jour 314

Jour 315

nevost   <u>veston</u>

gureo   <u>rouge</u>

tregi   <u>tigre</u>

saipt   <u>tapis</u>

nlèapet <u>planète</u>

Jour 316

8 + 4 = 12   11 + 8 = 19   10 + 3 = 13

19   15   17

12   13

Jour 317

1 Banana

2 Apple

3 Grapes

4 Cherries

5 Strawberry

6 Lemon

Jour 318

4

Jour 319

BALLERINE

Jour 320

F	A	U	C	O	N			
	I		I					
P	L	U	M	E		N		
			O			I		P
			E			I		O
C	A	N	A	R	D			U
O			E		B			L
Q			A		E			L
	A	U	T	R	U	C	H	E

Jour 321

1	F	L	U	T	E	
2	A	C	T	I	O	N
3	O	R	A	G	E	
4	N	A	S	E	A	U

Jour 322

CHEVEUX

Jour 324

ANANAS

Jour 325

LES HIRONDELLES VOLENT
DANS LE CIEL BLEU PUIS
SE POSENT SUR UN FIL
ÉLECTRIQUE.

SOLUTIONS

Jour 326

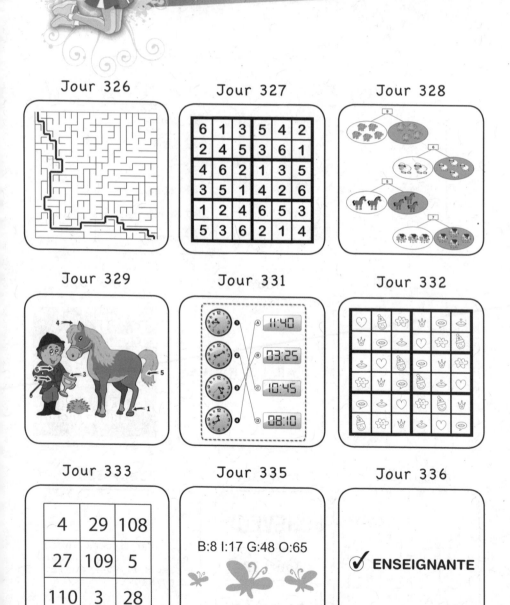

Jour 327

6	1	3	5	4	2
2	4	5	3	6	1
4	6	2	1	3	5
3	5	1	4	2	6
1	2	4	6	5	3
5	3	6	2	1	4

Jour 328

Jour 329

Jour 331

A 11:40
B 03:25
C 10:45
D 08:10

Jour 332

Jour 333

4	29	108
27	109	5
110	3	28

Jour 335

B:8 I:17 G:48 O:65

Jour 336

✓ ENSEIGNANTE

Jour 338

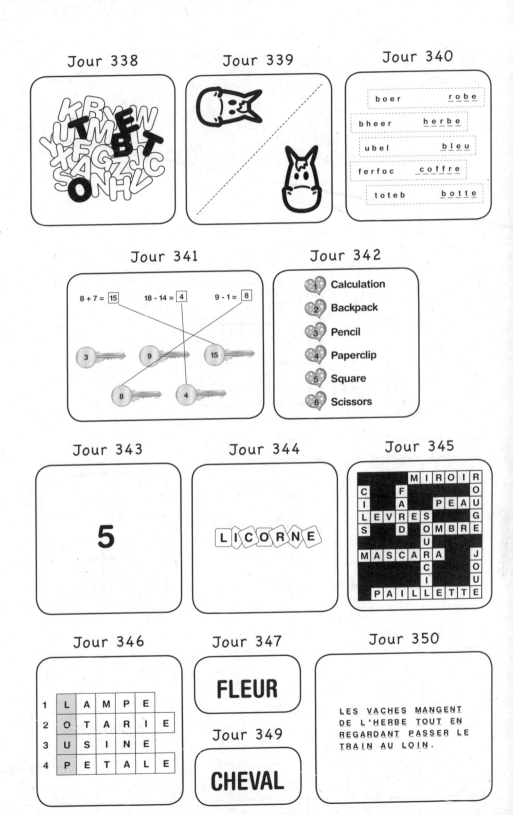

Jour 339

Jour 340

boer	r o b e
bheer	h e r b e
ubel	b l e u
ferfoc	c o f f r e
toteb	b o t t e

Jour 341

8 + 7 = 15   18 - 14 = 4   9 - 1 = 8

3   9   15

8   4

Jour 342

1 Calculation
2 Backpack
3 Pencil
4 Paperclip
5 Square
6 Scissors

Jour 343

5

Jour 344

LICORNE

Jour 345

					M	I	R	O	I	R
C		F								O
I		A				P	E	A	U	
L	E	V	R	E	S				G	
S		D		O	M	B	R	E		
					U					
M	A	S	C	A	R	A		J		
					C			O		
					I			U		
	P	A	I	L	L	E	T	T	E	

Jour 346

1	L	A	M	P	E	
2	O	T	A	R	I	E
3	U	S	I	N	E	
4	P	E	T	A	L	E

Jour 347

FLEUR

Jour 349

CHEVAL

Jour 350

LES VACHES MANGENT
DE L'HERBE TOUT EN
REGARDANT PASSER LE
TRAIN AU LOIN.

SOLUTIONS

Jour 351

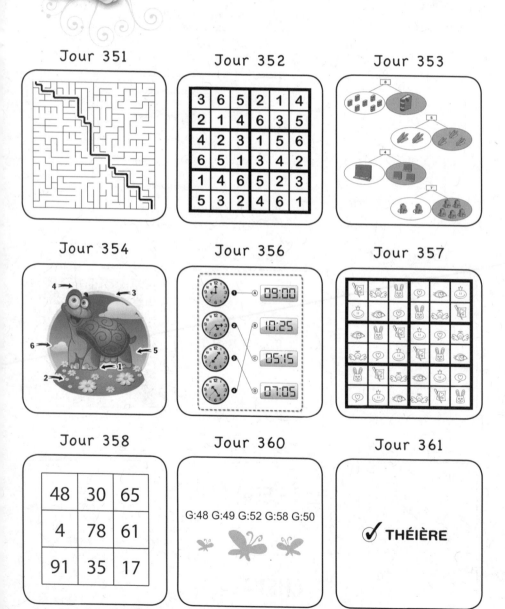

Jour 352

3	6	5	2	1	4
2	1	4	6	3	5
4	2	3	1	5	6
6	5	1	3	4	2
1	4	6	5	2	3
5	3	2	4	6	1

Jour 353

Jour 354

Jour 356

A 09:00
B 10:25
C 05:15
D 07:05

Jour 357

Jour 358

48	30	65
4	78	61
91	35	17

Jour 360

G:48 G:49 G:52 G:58 G:50

Jour 361

✓ THÉIÈRE

Jour 363

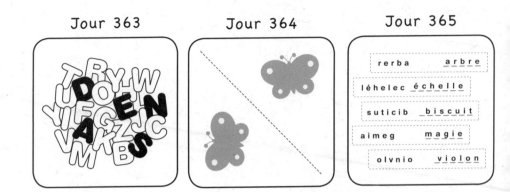

Jour 364

Jour 365

rerba   <u>arbre</u>

léhelec   <u>échelle</u>

suticib   <u>biscuit</u>

aimeg   <u>magie</u>

olvnio   <u>violon</u>

DESSIN LIBRE

DESSIN LIBRE

DESSIN LIBRE

DESSIN LIBRE

DESSIN LIBRE

DESSIN LIBRE

DESSIN LIBRE

DESSIN LIBRE

DESSIN LIBRE

DESSIN LIBRE

DESSIN LIBRE

L'utilisation de 6599 lb de SILVA SCOLAIRE 94M plutôt
que du papier vierge aide l'environnement des façons suivantes :
Arbres sauvés : 79
Réduit la quantité d'eau utilisée de 248 187 L
Réduit les émissions atmosphériques de 8 137 kg
Réduit la production de déchets solides de 3 132 kg

C'est l'équivalent de :
Arbre(s) : 1,6 terrain(s) de football américain
Eau : douche de 11,5 jour(s)
Émissions atmosphériques : émissions de 1,6 voiture(s) par année

RECYCLÉ
Papier fait à partir
de matériaux recyclés
FSC® C021757

Marquis imprimeur inc.

Québec, Canada
2011